PUERTO PLATA
SOSÚA CABARETE

Benoit Prieur
Pascale Couture

ÉDITIONS
ULYSSE

Le plaisir... de mieux voyager

Auteurs	Metteurs en	Photographes
Pascale Couture	pages	Page couverture
Benoit Prieur	Anne Joyce	Grant V. Faint
	Alain Legault	Image Bank
Éditeurs		Pages intérieures
Daniel Desjardins	Cartographes	Tibor Bognar
Stéphane G.	Patrick Thivierge	Alain Legault
Marceau	Yanik Landreville	M. Daniels
		A. Cozzi
Directeur de	Infographe	Morandi
production	Stéphanie	Sappa
André Duchesne	Routhier	
		Directeur
Correcteur	Illustratrices	artistique
Pierre Daveluy	Lorette Pierson	Patrick Farei
	Marie-Anik Viatour	(Atoll)

Distribution

Canada : Distribution Ulysse, 4176, St-Denis, Montréal (Québec) H2W 2M5, ☎ (514) 843-9882, poste 2232, ☎ 800-748-9171, fax : (514) 843-9448, www.ulysse.ca, info@ulysse.ca

États-Unis : Distribooks, 8120 N. Ridgeway, Skokie, IL 60076-2911, ☎ (847) 676-1596, fax : (847) 676-1195

Belgique-Luxembourg : Vander, 321, avenue des Volontaires, B-1150 Bruxelles, ☎ (02) 762 98 04, fax : (02) 762 06 62

France : Inter Forum, 3, allée de la Seine, 94854 Ivry-sur-Seine Cedex, ☎ 01 49 59 11 89, fax : 01 49 59 11 96

Espagne : Altaïr, Balmes 69, E-08007 Barcelona, ☎ (3) 323-3062, fax : (3) 451-2559

Italie : Centro cartografico Del Riccio, Via di Soffiano 164/A, 50143 Firenze, ☎ (055) 71 33 33, fax : (055) 71 63 50

Suisse : Diffusion Payot SA, p.a. OLF S.A., Case postale 1061, CH-1701 Fribourg, ☎ (26) 467 51 11, fax : (26) 467 54 66

Pour tout autre pays, contactez Distribution Ulysse (Montréal).

« . . . En verdad.
Con tres millones
suma de la vida
una entre tanto
cuatro cordilleras cardinales
y une inmensa bahía y otra inmensa bahía,
tres penínsulas con islas adyacentes
y un asombro de ríos verticales
y tierra bajo los árboles y tierra
bajo los ríos y en la falda del monte
y al pie de la colina y detrás del horizonte
y tierra desde el cantío de los gallos
y tierra bajo al galope de los caballos
y tierra sobre el día, bajo el mapa, alrededor
y debajo de todas las huellas y en medio del amor.
Entonces
es lo que he declarado.
Hay
un país en el mundo
Sencillamente agreste y despoblado . . . »

Pedro Mir
Hay un país en el Mundo (1913)

. . . En vérité.
Avec trois millions
de vie au total
auxquelles il convient d'ajouter
quatre montagnes cardinales
et une vaste baie et une autre baie non moins vaste,
trois péninsules bordées d'îles adjacentes
et un étonnement de fleuves verticaux
et de la terre sous les arbres et de la terre
sous les rivières et sur les pentes
et au pied des collines et au-delà de l'horizon
et de la terre tombant de la claironnade des coqs
et de la terre sous le galop des chevaux
et de la terre sur le jour et sous la carte, autour
et sous toutes les traces et même au milieu de l'amour.
Alors,
ne vous l'avais-je pas annoncé?
Il existe
en ce monde un pays
tout simplement agreste et dépeuplé . . .

Sommaire

Liste des cartes

Symboles des cartes

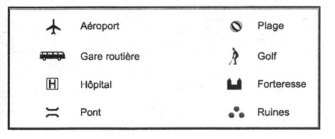

✈ Aéroport		⊘ Plage
🚌 Gare routière		🏌 Golf
Ⓗ Hôpital		🏰 Forteresse
≍ Pont		⋰ Ruines

Tableau des symboles

≡	Air conditionné
⊕	Baignoire à remous
⊖	Centre de conditionnement physique
🐉	Coup de cœur Ulysse pour les qualités particulières d'un établissement
ℂ	Cuisinette
ec	Eau chaude
pdj	Petit déjeuner inclus dans le prix de la chambre
≈	Piscine
ℝ	Réfrigérateur
ℜ	Restaurant
bc	Salle de bain commune
bp	Salle de bain privée (installations sanitaires complètes dans la chambre)
△	Sauna
≕	Télécopieur
☎	Téléphone
tlj	Tous les jours
⊗	Ventilateur

CLASSIFICATION DES ATTRAITS

★	Intéressant
★★	Vaut le détour
★★★	À ne pas manquer

CLASSIFICATION DES RESTAURANTS

Les tarifs mentionnés dans ce guide s'appliquent, sauf indication contraire, à un dîner pour une personne, excluant le service et les boissons.

$	moins de 10$US
$$	de 10$US à 20$US
$$$	de 20$US à 30$US
$$$$	plus de 30$US

Écrivez-nous

Tous les moyens possibles ont été pris pour que les renseignements contenus dans ce guide soient exacts au moment de mettre sous presse. Toutefois, des erreurs peuvent toujours se glisser, des omissions sont toujours possibles, des adresses peuvent disparaître, etc.; la responsabilité de l'éditeur ou des auteurs ne pourrait s'engager en cas de perte ou de dommage qui serait causé par une erreur ou une omission.

Nous apprécions au plus haut point vos commentaires, précisions et suggestions, qui permettent l'amélioration constante de nos publications. Il nous fera plaisir d'offrir un de nos guides aux auteurs des meilleures contributions. Écrivez-nous à l'adresse qui suit, et indiquez le titre qu'il vous plairait de recevoir (voir la liste à la fin du présent ouvrage).

Éditions Ulysse
4176, rue Saint-Denis
Montréal (Québec)
Canada H2W 2M5
www.ulysse.ca
guiduly@ulysse.ca

Données de catalogage avant publication (Canada).

Couture, Pascale, 1966-

Puerto Plata, Sosúa
Réédition.
(Plein Sud Ulysse)
Publ. antérieurement sous le titre: Puerto Plata, Sosua, Cabarete. 1993. Comprend un index. ISBN 2-89464-302-0

1. Puerto Plata (République dominicaine) - Guides. 2. Sosúa (République dominicaine) - Guides. 3. République dominicaine - Guides. I. Prieur, Benoit, 1965- II. Titre. III. Titre: Puerto Plata, Sosua, Cabarete. IV. Collection.

F1939.P9P74 1999   917.293'580454   C99-941808-4

«Les éditions Ulysse reconnaissent l'aide financière du gouvernement du Canada par l'entremise du Programme d'Aide au Développement de l'Industrie de l'Édition (PADIÉ) pour ses activités d'édition.»

Les éditions Ulysse tiennent également à remercier la SODEC pour son soutien financier.

Tableau des distances (km)
Par le chemin le plus court

© ULYSSE

	Barahona	Higüey	Jarabocoa	La Romana	Monte Cristi	Puerto Plata	Río San Juan	Samaná	San Francisco de Macorís	Santiago de los Caballeros	Santo Domingo
Barahona		366	248	298	343	421	470	452	339	360	204
Higüey			326	154	443	387	435	416	304	323	168
Jarabocoa				244	270	114	147	212	65	50	157
La Romana					366	309	358	337	230	249	89
Monte Cristi						135	232	320	175	120	276
Puerto Plata							83	226	118	60	219
Río San Juan								142	119	110	270
Samaná									145	203	248
San Francisco de Macorís										55	136
Santiago de los Caballeros											157
Santo Domingo											

Exemple : la distance entre Santo Domingo et Puerto Plata est de 219 km.

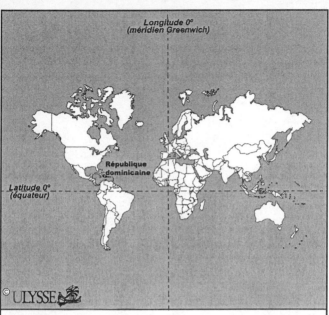

Situation géographique dans le monde

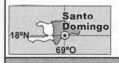

18°N — Santo Domingo ★ — 69°O

République dominicaine

Capitale :	Santo Domingo
Langue :	espagnol
Population :	8 000 000 hab.
Monnaie :	peso dominicain
Superficie :	48 442 km²

Océan Atlantique

Cuba

RÉPUBLIQUE DOMINICAINE

Puerto Rico

Haïti

Puerto Plata et Sosúa

Jamaïque

Guadeloupe

Honduras

Martinique

Mer des Caraïbes

Nicaragua

Costa Rica

Panama

Colombie

Venezuela

© ULYSSE

La République dominicaine

partage avec Haïti l'île d'Hispaniola, deuxième île en taille des Caraïbes après Cuba. Terre d'adoption des Indiens taïnos (Arawaks) et caraïbes avant d'être «découverte» par Christophe Colomb et Hispaniola accueillir la toute première colonie européenne du Nouveau Monde en 1492.

Reconnue avant tout pour la splendeur de ses plages de sable blond, la République dominicaine est un pays où triomphe la diversité.

Le présent ouvrage ne traite que d'une seule région de ce vaste pays, la côte Caraïbe, de Puerto Plata jusqu'à la péninsule de Samaná, un formidable front de mer de quelque 150 km de long.

Plus qu'ailleurs au pays, le développement du tourisme a été particulièrement intense dans cette région au cours des 20 dernières années, et plusieurs de ses villes et villages se sont transformés en d'importantes stations balnéaires. Après Puerto Plata, Sosúa, puis Cabarete, la mise en valeur des superbes plages de la côte s'étend maintenant plus à l'est, jusqu'à la région de Río San Juan et de Playa Grande.

Pourtant, malgré la popularité toujours croissante de cette côte, la vie quotidienne de ses habitants reste marquée par les activités économiques traditionnelles qui ont été à l'origine de son peuplement : la pêche et l'agriculture. Relativement peu peuplées, ses grandes étendues demeurent encore à maints endroits très sauvages, et bien des splendeurs n'attendent qu'à être découvertes par les plus aventureux.

Géographie

D'une superficie de 48 442 km², la République dominicaine occupe les deux tiers de la portion orientale de l'île d'Hispaniola. En parcourant ce pays, on est très tôt séduit par l'étonnante diversité de ses paysages.

Les montagnes

Sur le territoire dominicain se dressent cinq massifs montagneux. Le plus im-

pressionnant est la cordillère Centrale, au cœur de laquelle s'élève le Pico Duarte, qui, d'une altitude de 3 175 m, s'impose comme le plus haut sommet des Antilles. Au sud-ouest de cette cordillère, dont elles sont des prolongements, s'étirent deux petites chaînes de montagnes, dénommées Neiba et Baoruco. Au nord, toute la côte Atlantique est isolée du reste du pays par la cordillère Septentrionale, qui va de Monte Cristi à San Francisco de Macorís. Enfin, dans la partie orientale de l'île, traversant la péninsule de Samaná, s'élève la cordillère de Samaná.

Les plaines

Entre ces chaînes de montagnes s'étendent de grandes plaines et des plateaux propices à l'agriculture et au pâturage. En fait, 40% du territoire dominicain sert de pâturage aux animaux, alors que le tiers est voué à l'agriculture. Les champs s'étendent à perte de vue, principalement les champs de canne à sucre, qui façonnent, depuis des siècles, à la fois l'économie et les paysages dominicains. La plus vaste de ces plaines est constituée de la vallée de Cibao, qui s'allonge au centre du pays. Cette terre fertile, où l'on cultive entre autres le maïs, le riz, les fèves et le tabac, est la plus vaste région agricole du pays.

La forêt tropicale humide

Au pied de la cordillère Centrale, de fortes précipitations, une humidité et une température constantes (jamais au-dessous de 20°C) ont permis à une forêt tropicale humide de se développer. Cet univers de verdure comprend trois niveaux de végétation. Au premier niveau, nommé «sous-bois», poussent deux types de végétation : les plantes ligneuses, composées d'arbres non encore matures et d'arbustes adaptés à l'ombre, ainsi que les plantes herbacées. Toutes ces plantes dépendent du peu de lumière qui pourra providentiellement pénétrer la voûte et se rendre jusqu'à elles. Le deuxième niveau est celui de toute une variété de plantes épiphytes (qui poussent sans contact avec le sol, sur d'autres plantes, sans les parasiter), telles les mousses, les fougères, les lianes et les broméliacées. Ces plantes ont dû s'adapter à un milieu obscur et humide tout en profitant au maximum de l'espace disponible. Enfin le dernier niveau, la voûte, est formé par les arbres qui dominent cette forêt et dont le feuillage reçoit la presque totali-té de l'énergie solaire. Au cœur de cette forêt vit une incroyable variété d'animaux de toutes sortes, principalement des oiseaux et des insectes.

Les paysages côtiers

Une portion importante des côtes de la République dominicaine se compose de plages dont certaines sont de sable. Les plus belles sont situées sur la côte nord et donnent sur l'océan Atlantique, ainsi que dans la région de Punta Cana, à l'extrémité est du pays. Au sud-ouest, certaines parties de la côte sont bordées de plages de galets. Le long de ces plages, croît une végétation bien particulière, essentiellement composée de lianes rampantes, de raisiniers et de cocotiers.

La mangrove

La mangrove, cette étrange forêt poussant dans les eaux salées et la vase, se compose essentiellement de palétuviers, dont le plus répandu est le palétuvier rouge, facilement reconnaissable à ses racines aériennes. Plus en retrait dans les terres, le manglerivière se développe dans des eaux moins salées. Des arbustes et des plantes poussent également dans cette zone immergée. Au cœur de ce fouillis de verdure impénétrable, résident quantité d'êtres vivants, entre autres des oiseaux, des crustacés et surtout une multitude d'insectes variés. La lagune Gri-Gri, à Río San Juan, est un excellent endroit pour observer l'étonnant écosystème de la mangrove.

posée notamment de poissons de toutes tailles comme le thon, le thazard, le poisson-perroquet, le poisson-coffre, rares occasions le req le rouget, le poisson-ange, en de uin, ainsi que d'animaux tels que les éponges et les oursins.

Manglier rouge

Les fonds marins

Au large de l'île, les fonds marins peu profonds et les eaux toujours chaudes (environ 20°C) créent un habitat idéal pour le développement des coraux, ces colonies de cœlentérés (organismes minuscules) qui façonnent les polypiers calcaires aux formes et couleurs multiples. Autour d'eux, attirée par l'abondance de plancton, évolue une faune marine d'une riche diversité, com-

La faune

Détachée très tôt du continent américain, l'île n'a pas connu la même évolution animale que ce dernier, avec pour conséquence qu'outre les petits rongeurs, tels les rats et les souris, et les animaux d'élevage ou domestiques, on y dénombre peu de mammifères. D'ailleurs, la plupart de ces mammifères ont été emportés au pays à l'époque coloniale. Parmi ces témoins des premières années de la colonisation, mentionnons les cochons sauvages, qu'on peut encore aujourd'hui voir dans certains coins du pays.

La **mangouste** fut également emmenée sur l'île par les colons, pour qu'elle détruise les serpents et les rats qui vivaient dans les champs et attaquaient les travailleurs. Mais ce petit animal, semblable à une belette, ne chasse pas que les serpents (d'ailleurs, aucun dans l'île n'est véritablement dangereux); il s'en prend également aux reptiles et aux oiseaux nichant sur le sol, faisant craindre pour la survie de certains d'entre eux. En étant un peu attentif, vous pourrez apercevoir des mangoustes près des champs.

Les **agoutis dorés**, petits rongeurs de la taille d'un lièvre qui appartiennent à la famille des musaraignes, comptent parmi les quelques espèces qui habitaient dans l'île avant l'arrivée des colons. En nombre restreint, ils sont rarement aperçus.

Les reptiles sont pour leur part plus nombreux. Vous verrez certainement quelques petits lézards hantant ces terres de soleil. Un autre reptile, plus gros cette fois, peut être observé, notamment dans les champs désertiques du Sud-Ouest : l'**iguane**. Frugivore et insectivore, l'iguane peut parfois atteindre 1 m, mais il est inoffensif. Des **tortues** peuvent être observées en maints endroits, principalement aux Cayos Siete Hermanos, situées au nord de Monte Cristi.

Finalement, les **crocodiles américains**, qui ne se retrouvent qu'au lac Enriquillo, font partie des plus gros représentants de la faune de l'île.

Tortue

Iguane

Quelques mammifères marins peuplent les côtes, tel le **lamantin**, cet animal aussi gros que doux qui ressemble à un phoque de très grande taille. Malheureusement, le troupeau a aujourd'hui considérablement diminué, et l'on n'en voit que rarement.

Un autre mammifère marin peut être aperçu près des côtes de la baie de Samaná: la **baleine à bosse**, qui peut atteindre 16 m.

Baleine à bosse

Partie de l'Atlantique Nord, où elle trouve de la nourriture en abondance durant les mois d'été, elle vient chaque hiver dans les eaux chaudes des Caraïbes uniquement pour se reproduire et mettre bas (la gestation dure 12 mois). À Samaná, de janvier à mars, des expéditions d'observation sont organisées pour permettre aux visiteurs de mieux connaître ce fascinant mammifère.

La faune ailée est sans conteste la plus riche de l'île et, où que vous soyez, vous pourrez observer des oiseaux. Pour vous aider à les identifier, voici une petite description des espèces que vous serez le plus susceptible d'apercevoir. Muni de bonnes jumelles et d'un peu de patience, vous pourrez sans doute en contempler plusieurs.

Le **pélican brun** possède un plumage brun grisonnant et se distingue par son long cou, pourvu d'une énorme gorge, ainsi que par son long bec gris. Il se tient généralement seul ou en petit groupe volant à la queue leu leu. On peut l'apercevoir près des plages. Il peut atteindre 140 cm.

Pélican brun

La **frégate superbe**, ce très grand oiseau noir, est dotée d'ailes qui, une fois déployées, peuvent atteindre une envergure de 2,5 m. On distingue le mâle de la femelle par sa gorge rouge, la femelle en possédant une blanche. On la voit fréquemment au-dessus des flots, planant silencieusement en quête de nourriture.

Frégate

Les hérons, ces échassiers, se retrouvent souvent près de la mangrove et des étangs. Parmi les différentes espèces présentes en République dominicaine, il est possible de rencontrer le **grand héron**, qui peut atteindre 132 cm de haut. On le remarque à sa tête blanche, au centre de laquelle se trouve une plume noire descendant jusqu'à son cou. Son corps est recouvert de plumes grises et blanches. Vous aurez certainement la chance d'observer une autre espèce de héron, le **héron garde-bœuf**, qui se retrouve fréquemment dans les champs en compagnie du bétail. Mesurant environ 60 cm, cet oiseau blanc a, sur la tête, quelques plumes orangées. Il a immigré dans les Antilles au début des années cinquante; auparavant, on ne le trouvait qu'en Afrique. S'étant fort bien adapté, il compte aujourd'hui de nombreux représentants dans les Amériques.

Héron vert

Enfin, peut-être entendrez-vous le son bien particulier du petit **héron vert**, d'une taille d'environ 45 cm et dont le dos et les ailes sont de couleur grise tirant sur le vert.

Vous apercevrez, dans les jardins de plusieurs hôtels, de petits perroquets vert et rouge qu'on dénomme *coticas*. Domestiquée, la ***cotica*** est fort appréciée des Dominicains, car il s'agit d'un compagnon gentil qui peut apprendre à dire quelques mots. Cet oiseau, aussi connu en créole sous le nom de *cotorra*, a été malheureusement trop chassé : il est en voie d'extinction.

Le **flamant rose**, un autre échassier, peut être aperçu près des berges du lac Enriquillo. Il se nourrit en renversant la tête et en se laissant traîner le bec dans la vase, sa langue faisant alors une succion pour attraper les organismes et les petits crustacés.

Les **colibris**, ces minuscules oiseaux-mouches au plumage foncé et irisé de reflets bleus ou verts, atteignent une taille dépassant rarement 12 cm; certaines espèces ne pèsent pas plus de 2 g et se nourrissent d'insectes et de nectar, de sorte qu'on peut les apercevoir près des arbres et des arbustes fleuris.

Le **quiscale**: entièrement noir (la femelle est plus claire), il se reconnaît facilement à ses yeux jaunes bien particuliers, avec lesquels il semble vous épier. Ses pattes allongées lui permettent de courir dans l'herbe à la poursuite d'insectes.

Flamant rose

Le **sucrier à ventre jaune** est un petit oiseau d'une dizaine de centimètres de haut qui se rencontre partout dans les Petites Antilles. On le reconnaît facilement à son dos gris foncé ou noir ainsi qu'à sa gorge et à son ventre jaunes. Il se nourrit de nectar et du jus de nombreux fruits tels que la banane et la papaye. Parfois, ce petit oiseau gourmand s'arrête aux tables des terrasses et se délecte de quelques grains de sucre.

Sucrier à ventre jaune

Les tourterelles comptent diverses espèces de la taille d'un pigeon. La plus répandue est la **tourterelle à queue carrée**, dont le dos est brun alors que le ventre, la gorge et la tête sont couverts de plumes beiges légèrement rosées. En outre, elle a, de chaque côté de la tête, une tache bleutée. Une autre espèce que vous verrez peut-être, la **tourterelle commune**, a un plumage gris-brun et la gorge mouchetée de noir et de blanc.

Histoire

À l'arrivée de Christophe Colomb et des premiers conquistadors espagnols, les terres très fertiles de l'île d'Hispaniola sont depuis déjà longtemps habitées par d'importantes communautés amérindiennes. Comme tous les peuples autochtones d'Amérique, leurs ancêtres, venus d'Asie septentrionale, avaient franchi le détroit de Béring vers la fin de l'époque glaciaire avant d'occuper la presque totalité du continent américain à la faveur de vagues migratoires successives. Dans ce long processus d'occupation du territoire, l'archipel des Antilles, en raison de son isolement géographique, est convoité plutôt tardivement.

Entre 5 500 et 3 500 ans av. J.-C., les Ciboneys, un peuple originaire d'Amérique du Sud, s'installent sur l'île de Trinidad. De là, ils migrent peu à peu vers les autres îles des Antilles, notamment Hispaniola, qu'ils atteignent vers l'an 2500 av. J.-C. On connaît peu de choses de cette société paléolithique peu à peu enrichie par la migration de nouvelles peuplades indigènes de langue arawak, soit les Guapoïdes (autour des années 1 à 300 ap. J.-C.), puis les Saladoïdes (entre 300 et 800). Des

Les premiers habitants des Antilles

À l'arrivée des premiers explorateurs européens, deux peuples autochtones occupent la grande majorité des îles des Antilles : les Taïnos et les Caraïbes. Ces peuples sont issus de plusieurs vagues migratoires en provenance du continent américain et d'un long processus de métissage.

Le tout premier peuple à occuper les Antilles était les Ciboneys. Originaires d'Amérique du Sud, ils se sont d'abord implantés sur l'île de Trinidad entre les années 5500 et 3500 av. J.C. Excellents navigateurs, les Ciboneys ont par la suite migré vers d'autres îles des Antilles. En République dominicaine, on a retrouvé à Pedernales et à Barrera Mordán (près d'Azua), les restes de sites ciboneys datant de 2 500 ans av. J.C. Les Ciboneys, peuple semi-nomade, se nourrissaient essentiellement des fruits de la cueillette, de la pêche et de la chasse.

Dès le début de notre ère, des vagues successives d'immigrants indigènes, notamment les Guapoïdes (du Ier au IVe siècle), originaires d'Amérique du Sud, et les Saladoïdes (du IVe au XIXe siècle), qui proviennent de l'Amérique centrale, s'installent à leur tour dans les Petites Antilles. Ces peuples, tous deux de langue arawak, pratiquent la culture des sols et maîtrisent des techniques poussées de fabrication d'outils et d'irrigation des sols. Ils produisent en outre de belles poteries aux dessins artistiques. Ils ne tardent pas à entrer en contact avec les peuples ciboneys des Antilles.

La dernière vague migratoire provenant du continent américain est celle des Caraïbes qui, à partir du IXe siècle, quittent la région de la Guyane pour s'établir dans les Antilles. Les Caraïbes prennent surtout possession des Petites Antilles et repoussent les tribus de langue arawak qui y habitent vers les îles des Grandes Antilles. C'est le métissage des Ciboneys avec les conquérants de langue arawak qui donnera naissance au peuple que l'on désignera plus tard sous le nom de Taïnos. Lorsque les Européens découvrent Hispaniola, au XVe siècle, elle est principalement peuplée de Taïnos.

Les Taïnos développent une société bien structurée et ouverte sur le reste du bassin des Antilles grâce à un système d'échange efficace avec les autres peuples de la région. Ils habitent des villages généralement construits aux abords de l'océan qui comptent en moyenne une cinquantaine de huttes familiales (bohios) et 1 000 habitants; les plus grands villages peuvent toutefois rassembler jusqu'à 5 000 habitants. Ces villages font partie de royaumes sous la direction d'un chef unique que l'on désigne sous le nom de «cacique». Pour le reste, la société taïno est constituée de trois strates sociales : un groupe de nobles qui remplissent les principales fonctions spirituelles et temporelles, le peuple et les esclaves, ces deux derniers groupes assurant la survie du village.

La société taïno est relativement prospère à l'arrivée des Européens puisqu'elle dispose de plusieurs sources d'alimentation. Ces Amérindiens cultivent notamment le maïs et le piment, qu'ils ont importé du Mexique, et le manioc, avec lequel ils font la cassave, une galette qui accompagne la plupart de leurs repas. Ils s'alimentent en outre de poissons, de mollusques, de gibier, en particulier de perroquets, et font l'élevage de surprenants petits chiens, sans poil et aphones, destinés uniquement à la consommation. Par ailleurs, les Taïnos ont développé des techniques de tissage du coton qui leur permettent de concevoir non seulement de belles étoffes, mais aussi et surtout des hamacs, qui seront rapidement adoptés par les marins espagnols.

Contrairement à ce que l'on pourrait croire, ces peuples des îles ne sont pas coupés de l'influence des autres peuples d'Amérique. Les Taïnos, grands navigateurs, connaissent très bien les courants marins et les vents, ce qui leur permet de se déplacer d'une île à l'autre. Des échanges avec certaines tribus du continent américain, notamment du Mexique, semblent avoir été une pratique courante. Les Taïnos, à bord de pirogues qui pouvaient atteindre 10 m de longueur et contenir jusqu'à une cinquantaine de marins, pouvaient en effet naviguer jusqu'à des côtes éloignées. C'est d'ailleurs à bord de ces grandes pirogues qu'ils pouvaient transporter et vendre de grandes quantités de tissus de coton aux peuplades du Mexique et du Venezuela.

On a souvent qualifié les Taïnos de pacifiques, par comparaison aux Caraïbes, jugés plus guerriers. En fait, il semblerait que cette distinction entre peuples indigènes se fonde sur des observations quelque peu déformées des premiers conquérants. Les Caraïbes étaient certes de farouches guerriers puisqu'ils ont conquis à plusieurs reprises les villages taïnos et se sont opposés violemment à l'installation des Européens sur leurs terres. Qui plus est, il semble qu'ils auraient eu des pratiques cannibales : à l'issue d'assauts victorieux contre leurs ennemis, les Caraïbes pratiquaient en effet des rituels anthropophages. Or, cette situation a poussé les premiers observateurs à dépeindre, à tort, les Taïnos comme de paisibles Amérindiens, alors qu'ils étaient également de valeureux guerriers. Malheureusement, on garde peu cette image de ces indigènes qui, au moment de la conquête européenne, tentaient difficilement de se défendre contre les assauts des Caraïbes, puis qui n'ont pas su offrir de résistance aux Européens, mieux armés. Il ne reste aujourd'hui plus aucun descendant des Taïnos. Les seuls descendants caraïbes des premiers peuples des Antilles se trouvent encore sur l'île de la Dominique.

contacts sporadiques ont lieu entre ces différentes tribus dès le début de notre ère. Vers l'an 850, une nouvelle vague d'immigrants, les Caraïbes, repoussent des Petites Antilles les peuplades arawaks, qui vont s'installer sur les Grandes Antilles. Elles se mêlent alors aux peuples déjà présents sur ces îles, entre autres Hispaniola, et vont donner naissance à ce que nous appelons les Taïnos.

L'île d'Hispaniola, sauf dans son extrémité orientale, peuplée par les Caraïbes, devient principalement une terre d'adoption pour les Taïnos, qui se partagent, au moment de l'arrivée de Colomb, la plus grande partie du territoire en cinq royaumes distincts (Marien, Magua, Jaragua, Maguana et Higüey). Regroupant plusieurs villages, chaque royaume taïno est dirigé par un grand chef, qu'on dénomme le «cacique». Pour le reste, ces sociétés sont constituées de trois strates sociales : un groupe de nobles assure toutes les hautes fonctions temporelles et spirituelles, tandis que le peuple, aidé d'esclaves, travaille la terre. D'ailleurs, les Taïnos tirent principalement leur subsistance de la culture des sols en maîtrisant des techniques très perfectionnées d'irrigation et de drainage. Ils cultivent notamment le Yuca, dont la farine sert à la conception du casabe, une galette encore aujourd'hui consommée par les Dominicains.

C'est avec des Taïnos que l'explorateur Christophe Colomb noue les premiers contacts sur l'île d'Hispaniola, des «Indiens» qu'il juge plutôt pacifiques.

Encore aujourd'hui, les scientifiques ne s'entendent pas sur le nombre d'Amérindiens peuplant l'île d'Hispaniola au moment des premières explorations espagnoles. Les estimations les plus courantes sont de l'ordre de deux ou trois millions d'individus. Quoi qu'il en soit, moins de 50 ans plus tard, en 1535, l'île ne compte plus que quelques douzaines de familles. Très tôt, en effet, c'est massivement qu'ils succombent aux maladies transmises par les Européens, leur système immunitaire ne pouvant les combattre. Puis ils périssent aussi en grand nombre dans des guerres coloniales menées par Christophe Colomb et ses successeurs, avant d'être littéralement anéantis lorsque les conquistadors leur imposent le travail forcé.

Christophe Colomb

Le 3 août 1492, le navigateur génois Christophe Colomb, financé par les rois catholiques de Castille et d'Aragon, quitte le port de Palos, en Espagne, à la tête d'une flottille de trois caravelles : la *Santa María*, la *Pinta* et la *Niña*. Son but : trouver une nouvelle route pour l'Asie en naviguant vers l'ouest sur l'océan Atlantique. Deux mois plus tard, l'expédition conduite par Christophe Colomb aborde dans une île de l'archipel des Bahamas que les Amérindiens dénomment *Guanahani*, marquant ainsi, le 12 octobre 1492, la «découverte» officielle de l'Amérique. Colomb et ses hommes se croient alors au large de l'Asie du Sud-Est.

Pendant quelques semaines, Guanahani et les îles avoisinantes sont explorées, ce qui donne lieu aux premiers contacts avec les autochtones, avant que l'expédition de Colomb ne se dirige vers Cuba. Après en avoir longé les côtes, les trois caravelles naviguent vers une autre île que certains Amérindiens dénomment alors *Tohio*. Au matin du 5 décembre 1492, cette autre île est «découverte» par Colomb et baptisée *Isla espagnola* (ou Hispaniola). Colomb est séduit par la beauté d'Hispaniola, et il en fait maintes fois l'éloge dans son journal de bord. Longeant lentement d'ouest en est la côte nord de l'île, où il lance quelques explorations du territoire, il prend contact avec les autochtones, qu'il juge d'abord très pacifiques et accueillants.

Très tôt, l'île d'Hispaniola lui apparaît propice à l'installation d'une première colonie espagnole, surtout depuis qu'on a décelé la présence de dépôts d'or dans certaines de ses rivières.

C'est le naufrage de la *Santa María* qui fournit le prétexte à l'élaboration de cette première colonie. En se servant des débris de la caravelle, on peut construire une fortification qui, terminée le jour de Noël 1492, est alors baptisée le «fort de la Nativité». Lorsque, quelques semaines plus tard, Christophe Colomb repart vers l'Espagne, où ses découvertes impressionnent les souverains, il laisse derrière lui, au fort de la Nativité, 39 soldats sous le commandement de Diego de Arana.

Cette première colonie espagnole sur le continent américain tourne rapidement au désastre. Personne ne connaît les détails de ce qui s'y passe à la suite du départ de Colomb pour l'Espagne. Les soldats laissés sur Hispaniola abusent-ils de l'hospitalité des Amérindiens? On ne sait trop. Chose certaine, un conflit éclate entre les deux groupes, dans lequel les autochtones ont le dessus.

Lorsqu'une dizaine de mois plus tard Christophe Colomb revient sur l'île avec 1 500 hommes, il ne reste aucune trace du fort et de ses 39 soldats. En guise de représailles, Colomb ordonne dès lors les premières expéditions punitives qui, par la suite, se poursuivront pendant de longues années, entraînant la mort de milliers d'autochtones. Il leur impose plus tard le travail forcé et va même jusqu'à en déporter en Espagne, pour qu'ils y soient vendus comme esclaves. C'est donc Christophe Colomb qui lance lui-même le processus devant conduire, dans les décennies suivantes, à l'extinction complète des autochtones d'Hispaniola.

Le deuxième voyage de Christophe Colomb en Amérique a pour objectif de fonder une toute première véritable cité espagnole sur Hispaniola. Colomb et ses 1 500 hommes, pourvus en matériel, semences et animaux de ferme, choisissent un site, non loin de l'actuelle ville de Puerto Plata, près de Luperón pour fonder en 1493 La Isabela, première ville espagnole en Amérique. Cette ville reste pendant quelque temps le centre de la colonie avant d'être abandonnée à la suite de famines et d'épidémies.

Le journal de bord de Christophe Colomb (16 décembre 1492)

«Que vos Altesses veuillent croire que ce grand nombre de terres sont si bonnes et si fertiles, spécialement celles de cette île Hispaniola, qu'il n'est personne qui le sache dire et personne qui ne puisse le croire s'il ne le voit. Et qu'elles veuillent croire que cette île et les autres sont leurs tout autant que la Castille, et qu'il ne s'en faut ici que de s'établir et d'y ordonner de faire ce que l'on voudra, puisque, moi, avec ces gens que j'ai qui ne sont pas nombreux, je puis parcourir toutes ces îles sans encourir aucun affront; que j'ai vu déjà trois seulement de mes marins descendre à terre et faire fuir une multitude de ces Indiens sans la moindre tentative de leur faire mal. Ils n'ont pas d'armes, sont tous nus, n'ont pas le moindre génie pour le combat et sont si peureux qu'à mille ils n'atteindraient pas trois des nôtres. Ils sont donc propres à être commandés et à ce qu'on les fasse travailler, semer et mener tous les autres travaux qui seraient nécessaires, à ce qu'on leur fasse bâtir des villes, à ce qu'on leur enseigne à aller vêtus et à prendre nos coutumes.»

Petit à petit, quelques forts sont érigés plus au centre du pays pour contrôler l'exploitation des gisements d'or; puis, en 1496, Bartolomé Colomb, le frère cadet de Christophe, fonde Santo Domingo, qui devient le siège de cette jeune colonie.

En 1500, Christophe Colomb est destitué de ses fonctions de vice-roi des Indes, lorsque Francisco de Bodadilla, qui a été chargé d'enquêter par la reine Isabelle, l'accuse de mal administrer la colonie, de tuer «inutilement» les Amérindiens et d'encourager la traite des esclaves.

De l'or et du sucre

Pendant le premier quart de siècle de la colonisation espagnole, l'exploitation des gisements d'or est à la base de l'économie d'Hispaniola. Les Amérindiens, bien que le système des *encomiendas* doive servir à les protéger des abus, sont utilisés comme main-d'œuvre servile dans ces mines. Leurs conditions de vie sont à ce point pénibles qu'ils succombent en grand nombre et que les Espagnols doivent même avoir recours à des esclaves provenant d'autres îles et de l'Amérique centrale pour continuer le travail.

Mais lorsque, vers 1515, les gisements d'or commencent à se tarir, Hispaniola est rapidement délaissée par la métropole au profit d'autres îles ou régions d'Amérique. Après un exode massif de la population espagnole, ceux qui optent de rester choisissent de se tourner vers l'agriculture et l'élevage. À son deuxième voyage en Amérique, Christophe Colomb avait introduit sur l'île des troupeaux de bovins, qui s'étaient depuis multipliés, et différentes semences, entre autres des plants de canne à sucre, qui s'étaient remarquablement bien adaptés au climat de l'île. La canne à sucre devient alors le plus important produit d'exportation d'Hispaniola et, en fait, le cœur de son économie.

Les exploitations sucrières demandent cependant une main-d'œuvre abondante, dont l'île est dépourvue. Les Espagnols ont alors largement recours à des esclaves provenant d'Afrique, si bien que, déjà vers le milieu du XVIe siècle, la population d'origine africaine d'Hispaniola s'élève à près de 30 000 personnes.

La prospérité engendrée par la canne à sucre ne dure cependant pas très longtemps. Dans les dernières décennies du XVIe siècle, la part des productions sucrières de l'île commence à décliner sur les marchés européens à la faveur des exploitations du Brésil, colonie du Portugal. Un second exode de colons espagnols s'ensuit tout naturellement.

La canne à sucre et l'élevage de bovins demeurent néanmoins les pivots de l'économie d'Hispaniola, dès lors une colonie d'une importance marginale pour l'Espagne, qui contrôle déjà d'immenses territoires en Amérique, notamment le Mexique.

Pirates et boucaniers

Comme la Couronne espagnole se désintéresse de l'île et paye très mal pour l'achat des produits locaux, les habitants d'Hispaniola se tournent alors vers les contrebandiers pour écouler leurs marchandises, une situation qui a tôt fait de déplaire aux autorités de la métropole. Afin de reprendre le contrôle d'Hispaniola, il est décidé de regrouper tous les colons espagnols dans l'est de l'île, aux abords de Santo Domingo, et d'abandonner le reste du pays. Cette mesure radicale est imposée par l'armée espagnole en 1603 et 1604.

L'extrémité occidentale de l'île, dès lors complètement laissée à elle-même, attire quelques années plus tard des flibustiers d'origine française, dont plusieurs décident de s'y installer en permanence afin de tirer profit des grands troupeaux de bovins sauvages peuplant ces régions. Puis un commerce très profitable s'établit entre les flibustiers, les boucaniers (qui abattent les bovins pour transformer leur peau en cuir) et les pirates (qui s'occupent d'acheminer cette marchandise jusqu'en Europe).

Malgré plusieurs expéditions punitives, jamais l'Espagne ne parvient à mettre fin à ce commerce. Aussi, profitant de la présence des boucaniers, la France réussit graduellement à s'imposer sur cette partie de l'île, qui devient officiellement possession française en 1697 lors de la signature du traité de Ryswick.

Demeurant sous la gouverne de l'Espagne, l'est de l'île traverse pour sa part plusieurs décennies de grandes difficultés économiques avant de retrouver une certaine prospérité vers le milieu du XVIIIe siècle.

Ce partage de l'île entre l'Espagne et la France sera à l'origine de la naissance des deux nations distinctes qui forment actuellement l'île d'Hispaniola : la République dominicaine et la république d'Haïti.

La marche vers l'indépendance

La Révolution française, en 1789, a des répercussions politiques jusque dans la lointaine île d'Hispaniola. En 1791, stimulée par ce vent de renouveau et par l'effritement de l'hégémonie française, une révolte d'esclaves, conduite par Toussaint L'Ouverture, éclate dans la colonie française de l'ouest de l'île. À Santo Domingo, les colons espagnols s'engagent, dès le début du côté des insurgés. Mais les choses changent radicalement lorsque, en 1794, la France abolit officiellement la pratique de l'esclavage dans sa colonie. Du coup, les troupes de Toussaint L'Ouverture font volte-face pour s'allier aux Français afin de combattre la colonie espagnole de l'est de l'île. Complètement débordée, l'Espagne doit, en 1795, céder Santo Domingo à la France, qui, par ce fait, se rend maître de l'ensemble d'Hispaniola pour quelques années.

Dans les années qui suivent, la France, désormais sous la gouverne de Napoléon Bonaparte, prend le parti de combattre l'autonomisme affiché par le gouvernement de Toussaint L'Ouverture. Une expédition militaire française est envoyée dans l'île en 1802, faisant prisonnier Toussaint L'Ouverture pour l'amener en Europe. Mais la lutte pour l'autonomie ne s'arrête pas ainsi dans l'ouest de l'île. En fait, elle reprend de plus belle, cette fois sous le commandement de Jean-Jacques Dessalines. En peu de temps, les forces françaises sont mises en déroute par les rebelles, alors qu'est proclamée, le 1er janvier 1804, la république d'Haïti.

Les Français conservent néanmoins le contrôle de l'est de l'île, mais pas pour bien longtemps car, aidés de troupes britanniques en guerre contre la France de Napoléon, les colons espagnols de l'île redonnent Santo Domingo à l'Espagne en 1809. Les autorités espagnoles ne montrent cependant que très peu d'intérêt pour le développement de cette lointaine colonie. Les colons de Santo Domingo n'ont alors d'autre choix que de proclamer leur indépendance en 1821, une indépendance qui ne sera savourée que fort peu de temps puisque, l'année suivante, l'armée d'Haïti traverse la frontière pour envahir Santo Domingo. Pendant plus de 20 ans, soit jusqu'en 1844, les Haïtiens auront le contrôle de l'ensemble d'Hispaniola.

La domination haïtienne commence à fléchir avec la fin des années 1830, lorsqu'une organisation secrète lance ses premières attaques contre l'armée d'Haïti. Cette organisation, connue sous le nom de *La Trinitaria*, est dirigée par trois hommes : Juan Pablo Duarte, Ramón Matias Mella et Francisco del Rosario Sánchez. Après quelques années de combat, l'armée haïtienne doit finalement se retirer de l'est de l'île, qui peut enfin proclamer son indépendance. Le 27 février 1844, ce nouveau pays indépendant prend le nom de «République dominicaine».

Les années d'incertitude (1844-1916)

Lorsque prend fin la guerre d'Indépendance, les rebelles de *La Trinataria* doivent bientôt faire face à l'opposition, au sein même du pays, de plusieurs groupes armés désirant prendre le contrôle de la nouvelle république. À ce jeu, les membres de *La Trinataria* sont rapidement perdants, si bien que, déjà en septembre 1844, ils sont complètement écartés du pouvoir.

Les luttes se poursuivent par la suite, opposant principalement les fidèles du général Pedro Santana à ceux du général Buenaventura Báez. Pendant plus d'un quart de siècle, ces deux chefs militaires s'échangent le pouvoir à la faveur de sanglantes guerres civiles. La République dominicaine perd même son indépendance pendant quelques années lorsqu'en 1861 le général Santana remet le contrôle du pays à l'Espagne.

Pour les Dominicains, le cortège de malchances se poursuit avec l'arrivée du général Ulisses Heureaux à la présidence de la République en 1882. Instaurant un terrible régime dictatorial, celui-ci demeure au pouvoir jusqu'à son assassinat, en 1899. Son incompétence dans la gestion des affaires internes est à l'origine d'une cascade de crises économiques.

Par la suite, les problèmes économiques du pays ne font que s'accentuer du fait de l'instabilité et du chaos politique provoqués par la succession rapide de plusieurs gouvernements à tête du pays.

C'est alors que les États-Unis entrent pour la première fois directement dans l'arène politique dominicaine, un précédent qui se répétera à plusieurs reprises par la suite. Craignant, semble-t-il, qu'une nation européenne ne profite de l'anarchie économique pour reprendre pied au pays, les États-Unis, nouvelle puissance impérialiste considérant les Antilles comme sa chasse gardée, s'arrogent un droit de regard sur la gestion économique et les douanes dominicaines.

L'occupation américaine (1916-1924)

Les tentatives des États-Unis pour accroître leur contrôle sur l'économie dominicaine conduisent cependant à une impasse politique : en novembre 1915, c'est clairement que les autorités légales du pays font savoir aux Américains qu'ils n'ont pas l'intention de céder à leurs pressions. La réplique américaine se fait peu attendre : en mai 1916, le gouvernement des États-Unis ordonne l'invasion de la République dominicaine, et les *marines* américains occupent rapidement Santo Domingo et les principales villes du pays, puis imposent le démantèlement de l'armée dominicaine et le désarmement de la population.

Sous l'occupation américaine, qui finalement va durer huit ans, la structure de l'économie dominicaine est remaniée afin de répondre aux attentes des occupants. Ainsi, comme la Première Guerre mondiale fait craindre aux Américains une pénurie de sucre, la République dominicaine est poussée à accentuer sa spécialisation dans l'exploitation de la canne à sucre, au détriment d'autres produits pouvant mieux répondre aux besoins locaux. Les Américains se servent également de cette période d'occupation pour lever les barrières commerciales restreignant l'entrée de leurs produits sur les marchés dominicains, et ruinent ainsi plusieurs petites entreprises locales incapables de subir cette concurrence. L'occupation a cependant certains aspects positifs, entre autres l'extension des réseaux routiers et ferroviaires du pays ainsi que l'amélioration du système d'éducation.

Les Américains quittent finalement le territoire dominicain en 1924, laissant en récompense à leurs alliés un semblant de légitimité politique et une puissante Garde nationale.

Bref rappel historique

Vers la fin de l'époque glaciaire, des nomades de l'Asie septentrionale franchissent le détroit de Béring, puis peuplent l'ensemble du continent américain par vagues successives. Plus tard, certains d'entre eux viendront habiter les îles de la mer des Caraïbes.

1492 : Lors de son premier voyage en Amérique, Christophe Colomb visite quelques îles dont Hispaniola, où il laisse 39 de ses soldats avant de repartir vers l'Espagne.

1493 : Fondation de La Isabela, première ville européenne en Amérique

1496 : Bartolomé Colomb, le frère de Christophe, fonde la ville de Santo Domingo.

1535 : Moins d'un demi-siècle après l'arrivée des conquistadors, la population amérindienne de l'île a déjà presque complètement été anéantie.

1603-04 : Pour contrer le commerce avec les pirates, l'Espagne impose l'abandon des terres de l'ouest de l'île et le regroupement des colons autour de Santo Domingo.

1697 : La France acquiert officiellement l'ouest de l'île par le traité de Ryswick.

1795 : Les troupes françaises prennent possession de Santo Domingo et l'occupent pendant plus d'une décennie.

1809 : Santo Domingo redevient une colonie espagnole.

1822 : La jeune République d'Haïti envahit Santo Domingo et l'occupe jusqu'en 1844.

1844 : Après plusieurs années de guérilla, des colons de Santo Domingo parviennent à repousser l'armée haïtienne. La nouvelle nation indépendante portera désormais le nom de «République dominicaine».

1861 : À la suite d'une longue période d'instabilité politique, la République dominicaine redevient une colonie espagnole jusqu'en 1865.

1916 : Ayant déjà un important droit de regard sur la gestion des affaires internes, les États-Unis envahissent la République dominicaine, puis l'occupent jusqu'en 1924.

1930 : Le général Trujillo prend le pouvoir par les armes et impose une dictature excessivement répressive. Il restera à la tête de l'État pendant plus de 30 ans, jusqu'à ce qu'il soit assassiné, en mai 1961.

1965 : Les États-Unis envoient des troupes afin d'empêcher Juan Bosch, le président légalement élu, de reprendre le pouvoir qu'il avait auparavant perdu en faisant face aux militaires.

1966 : Joaquín Balaguer devient président du pays et le restera jusqu'en 1978. Tout au long de ces 12 années de présidence, il aura largement recours à la répression.

1978 : Antonio Guzmán, du Parti révolutionnaire dominicain (PRD), est élu président. Il sera remplacé en 1982 par Salvador Jorge Blanco, un autre membre du PRD.

1986 : Exaspérée par la corruption du gouvernement de Blanco, la population reporte au pouvoir Joaquín Balaguer. L'ancien autocrate sera réélu par une très faible majorité en 1990.

1994 : Balaguer est élu une fois de plus, alors que l'opposition l'accuse d'avoir truqué le résultat des élections. Sous la pression américaine, ce mandat de Balaguer est écourté de deux ans.

1996 : Leonel Fernández est porté au pouvoir. Les Dominicains fondent beaucoup d'espoir sur ce nouveau gouvernement.

Portrait

La dictature de Trujillo

Horacio Vásquez gagne en 1924 la première élection libre à se tenir en sol dominicain. Cet épisode démocratique ne sera que de courte durée, car, en 1930, le chef de la Garde nationale du pays, le général Rafael Trujillo y Molina (1891-1961), prend le pouvoir par les armes et devient le maître d'œuvre de l'une des périodes les plus sombres de l'histoire du pays.

Tout le long de son «règne», Trujillo, secondé par la Garde nationale et un solide réseau d'espionnage, impose une dictature absolue basée sur un effroyable mélange de violence, d'intimidations, de tortures, de meurtres politiques et de déportations. Sous Trujillo, les élections ne sont que de vulgaires parades visant à masquer grossièrement les excès d'un régime qui est en fait l'une des plus terribles dictatures de l'histoire du continent.

Trujillo conduit les affaires du pays comme s'il s'agissait de ses propres affaires. Il exerce un contrôle quasi total sur le développement de l'économie dominicaine alors qu'il déploie lui-même, ou par le biais de ses proches, une mainmise sur la plupart des industries du pays. Rarement dans l'Histoire a-t-on poussé aussi loin le culte de la personnalité que sous le régime de Trujillo. Partout au pays, des portraits et des statues célèbrent la grandeur du Generalissimo Trujillo, qui se plaît à s'autoproclamer le «Bienfaiteur» de la nation. En 1936, la capitale, Santo Domingo, est même rebaptisée «Ciudad Trujillo».

Les relations avec Haïti sont extrêmement tendues sous Trujillo, car le rejet du pays voisin et de son appartenance à la culture «noire» est alors l'un des éléments centraux du nationalisme dominicain. En fait, pour Trujillo, le peuple dominicain a en quelque sorte une mission «civilisatrice» sur l'île. Les relations entre les deux pays se détériorent davantage lorsque, en 1937, environ 17 000 Haïtiens habitant la République dominicaine sont massacrés par la Garde nationale sur ordre de Trujillo.

Par contre, le dictateur parvient à conserver longtemps d'excellents rapports avec les États-Unis, en offrant de bonnes conditions aux investisseurs américains et en se faisant un champion de la lutte au communisme. Vers la fin des années cinquante, Trujillo devient

Simples cases enluminées d'un pittoresque village dominicain comme on en rencontre un peu partout au pays.
- *T. Philiptchenko*

«Prendre le temps de prendre le temps.»
T. Philiptchenko

Case créole à l'ombre d'un cocotier.
- Claude Hervé-Bazin

cependant un allié fort encombrant pour les Américains, car, à Washington, on commence à craindre que l'extrême brutalité de son régime n'ait pour effet d'aiguillonner les révolutionnaires communistes de l'ensemble du continent. Trujillo s'aliène définitivement les Américains en 1960 à la suite d'une tentative avortée d'assassinat du président vénézuélien Rómulo Betancourt. Ses jours sont dès lors comptés.

Le 30 mai 1961, après plus de 30 ans, cette terrible dictature prend fin par l'assassinat de Trujillo. À sa mort, le général est considéré comme l'un des hommes les plus riches du monde, possédant environ 600 000 ha de terres productives et une fortune personnelle évaluée à 500 millions de dollars US. On estime que les trois décennies du régime Trujillo auront coûté la vie à quelque 100 000 Dominicains.

La seconde invasion américaine

Après la mort de Trujillo, le vice-président du pays, Joaquín Balaguer, prend les commandes du gouvernement. Il doit cependant très tôt céder sa place à un Conseil d'État, qui organise, le 20 décembre 1962, une élection présidentielle

remportée par Juan Bosch du Parti révolutionnaire dominicain (PRD). Le mandat du nouveau président est cependant de très courte durée, car, voyant que Bosch va très loin dans le rétablissement des libertés civiles, l'armée le renverse par un coup d'État en septembre 1963.

Le 24 avril 1965, après deux ans d'une gestion économique désastreuse, les classes populaires, de plus en plus insatisfaites, aidées d'une faction dissidente de l'armée, se soulèvent pour rétablir l'ordre constitutionnel. Inquiet de la tournure des événements et prétextant que le mouvement des insurgés est infiltré par les communistes, le gouvernement américain réagit en envoyant ses *marines* à la rescousse des militaires dominicains pour mettre fin à cette «révolution». Les combats s'engagent, faisant de nombreux morts, et les rebelles doivent bientôt baisser pavillon.

Par la suite, un gouvernement provisoire dirigé par Hector García Godoy est instauré. Puis, après une élection manipulée par les États-Unis, en juin 1966, Joaquín Balaguer, ancien compagnon d'armes de Trujillo, est élu président du pays.

L'époque contemporaine

Balaguer demeure à la tête du pays pendant 12 ans, puisqu'il est réélu en 1970 et en 1974 lors d'élections encore une fois manipulées où l'opposition renonce même à présenter des candidats. Tout le long de ces années, il gouverne de façon autoritaire en ayant largement recours à l'intimidation pour asseoir son pouvoir.

Les choses commencent à changer avec l'élection de 1978, alors que le Parti révolutionnaire dominicain (PRD) présente Antonio Guzmán pour affronter Balaguer. Le peuple dominicain est prêt au changement; par contre, Balaguer n'a pas l'intention de laisser le pouvoir lui échapper sans réagir. Le jour de l'élection, comme les résultats semblent manifestement favoriser Antonio Guzmán, Balaguer tente un nouveau coup de force en mettant fin au dépouillement des votes. La manœuvre faillit réussir, mais, face aux pressions de l'extérieur, notamment des États-Unis, Balaguer doit finalement s'avouer vaincu. Antonio Guzmán demeure au pouvoir jusqu'en 1982. Sa présidence se termine toutefois sur une note tragique, lorsqu'il se suicide

en apprenant que certains de ses plus proches collaborateurs ont été impliqués dans des détournements de fonds publics. Après un intérim de quelques mois, le nouveau chef du PRD, Salvador Jorge Blanco, est élu président et le demeure jusqu'en 1986.

Au cours des mandats de Guzmán et de Blanco, les libertés civiles sont en grande partie restaurées au pays, ce qui contribue à la popularité des deux hommes. Par contre, avec l'effondrement des marchés du sucre et la hausse vertigineuse des prix du pétrole, la République dominicaine traverse, pendant cette période, une grave crise économique qui suscite une insatisfaction grandissante dans la population. Et le PRD perd le peu de crédibilité qui lui reste lorsque son président, Salvador Jorge Blanco, également président du pays, est personnellement reconnu coupable de corruption.

Les Dominicains, désabusés et confrontés à un vide politique inouï, choisissent en 1986 de réélire l'ancien dictateur, désormais octogénaire, Joaquín Balaguer. Celui-ci gagne également l'élection de 1990, face à une opposition complètement désorganisée et divisée. Il garde une nouvelle fois le pouvoir en 1994, quoique non sans difficulté et malgré le fait qu'on l'accuse d'avoir trafiqué les résultats de l'élection en sa faveur. Dans le but d'en finir avec les critiques qui remettent en question la légitimité de cette élection, et sous la pression des Américains, Balaguer accepte de réduire son mandat à seulement deux ans et de tenir une nouvelle élection en 1996. Au cours de ces derniers mandats, Balaguer dirige le pays de façon beaucoup moins autoritaire qu'il ne l'a fait précédemment.

L'élection de 1996 devait être l'affaire de José Francisco Pena Gómez, du Parti révolutionnaire dominicain. Tous prédisaient sa victoire. Mais le sort en avait décidé autrement. Au deuxième tour des présidentielles, une alliance entre le Parti réformiste social-chrétien et le Parti dominicain de libération (PDL) permettait en effet au candidat du PDL, Leonel Fernández (droite modérée), de remporter une victoire serrée devant Peña Gómez. Les résultats de cette élection sont néanmoins reçus avec enthousiasme par le peuple dominicain, puisque Fernández représente une véritable alternative au régime de Balaguer. Jeune homme (il est au début de la quarantaine) éduqué aux États-Unis, Leonel Fernández

entend moderniser le pays en misant sur la lutte à la corruption et en investissant dans les secteurs de l'éducation et de la santé.

Vie politique

Depuis le premier voyage de Christophe Colomb en Amérique, en 1492, plus de cinq siècles se sont écoulés, ayant permis l'émergence d'une nation dominicaine indépendante. Mais comme la majorité des peuples du continent, les Dominicains doivent continuer à se battre pour gagner une véritable émancipation politique, économique et sociale. Ils doivent en outre continuer à faire face aux nombreuses incertitudes planant sur l'avenir de leur pays. Quels que soient les choix qui seront faits dans l'avenir, le pays devra d'abord et avant tout savoir tirer profit de l'extraordinaire jeunesse de sa population.

Tout comme celui des États-Unis, dont il est largement inspiré, le système législatif dominicain est constitué de deux chambres, le Sénat et la Chambre des députés. Le Sénat se compose de 30 représentants, un pour chacune des provinces du pays et un pour le district national; la Chambre des députés comprend quant à elle 120 membres. Le président du pays dispose pour sa part de pouvoirs étendus; il est élu au suffrage universel pour des mandats de quatre ans.

Bien qu'il existe une vingtaine de partis politiques, seuls trois d'entre eux occupent une place significative sur l'échiquier politique du pays. Jusqu'en 1996, le Parti réformiste social-chrétien (PRSC) (auparavant le Parti réformiste ou PR) a dominé la vie politique du pays. À la tête du PR, puis du PRSC, Joaquín Balaguer a été élu président de la République en 1966, 1970 et 1974, puis en 1986, 1990 et 1994. Le PRSC est issu de la fusion du Parti réformiste et du Parti révolutionnaire social-chrétien.

Le parti révolutionnaire dominicain (PRD) a été fondé à la Havane (Cuba) par Juan Bosch en 1939. En 1973, une division interne devait amener Juan Bosch et ses supporters à quitter le PRD pour fonder le Parti de libération dominicaine. C'est à la tête du PRD que Juan Bosch remporta l'élection de 1962, avant d'être renversé l'année suivante par un coup d'État. Le PRD remporta une nouvelle fois les élections de 1978 et de 1982 avec, à sa tête, Antonio Guzmán, puis Salvador Jorge Blanco. La plus récente élection, tenue en 1996, a été remportée par Leonel Fernández, du Parti dominicain de libération (PDL).

Au cours des dernières années, la vie politique au pays a été surtout marquée par l'impatience croissante des classes populaires, de plus en plus exaspérées par la corruption généralisée qui touche même les plus hautes sphères de l'appareil gouvernemental, et par l'imposition d'un plan d'austérité économique ayant eu pour effet de réduire considérablement leur pouvoir d'achat.

Quelques mois seulement après son élection, Leonel Fernández a dû faire face aux grèves générales qui ont éclaté dans certaines régions du pays. Ces troubles sociaux, qui secouent à l'occasion la vie politique de la République dominicaine, prennent leur source dans un profond malaise propre à plusieurs sociétés d'Amérique latine et lié à la croissance constante de l'immense fossé qui sépare les plus riches des plus pauvres. Actuellement, en République dominicaine, alors que de très larges pans de la société parviennent difficilement à se procurer les denrées alimentaires essentielles et vivent dans des bicoques de bois sans eau ni électricité, une minorité d'individus jouit de fabuleuses conditions matérielles. Cette marginalisation d'une grande partie de la population constitue d'ailleurs un puissant frein à toute tentative réelle de démocratisation.

D'autre part, le gouvernement de la République dominicaine était, jusqu'à tout récemment, accusé sur la scène internationale d'encourager tacitement la terrible exploitation des *braceros* (coupeurs de canne à sucre) haïtiens. Dans bien des cas, encadrés par des gardes armés, des milliers d'Haïtiens travaillaient en effet pour des gages dérisoires leur permettant à peine de subvenir à leurs besoins. Le gouvernement dominicain promit à maintes reprises de régulariser leur situation, puis décida, en juin 1991, d'expulser tous les travailleurs illégaux vers Haïti.

Des centaines de milliers d'Haïtiens sont néanmoins restés au pays et occupent toujours les postes les moins rémunérés des secteurs de la construction et de l'agriculture. Dans les plantations de canne à sucre, les conditions des travailleurs demeurent encore épouvantables et, de façon générale, la situation des Haïtiens vivant en République dominicaine pose encore de sérieux problèmes. Le nouveau président

du pays, Leonel Fernández, semble toutefois démontrer à cet égard une bonne volonté qu'on ne connaissait pas à son prédécesseur. Une rencontre avec son homologue haïtien à la fin de l'année 1996 a d'ailleurs permis d'en arriver à une entente concernant la rémunération des coupeurs de canne.

Économie

Même si, depuis quelques décennies, l'économie dominicaine s'est passablement diversifiée et modernisée, la culture et l'élevage occupent toujours une place importante. En fait, plus de 40% de la superficie totale du pays est consacrée au pâturage des animaux, alors qu'environ le tiers sert à la culture de denrées essentielles destinées à la consommation humaine. Fait intéressant, au contraire de la plupart des autres pays des Antilles, les produits alimentaires de base consommés localement proviennent presque tous de la campagne dominicaine.

La canne à sucre, qui fut introduite dans l'île par Christophe Colomb, est encore de loin la plus importante production agricole. Sa culture emploie une partie appréciable de la main-d'œuvre, et le sucre brut qu'on en tire est au premier rang des exportations agricoles du pays.

Parmi les autres produits agricoles exportés à l'étranger, mentionnons le tabac, le cacao, le café, le riz et plusieurs fruits tropicaux. La production laitière et l'élevage du bœuf, du porc et du poulet répondent principalement, pour leur part, à la demande locale.

Branche de caféier

Encore largement inexploité, le sous-sol de la République dominicaine est riche d'une multitude de minéraux. Les seules exploitations d'importance sont celles de l'argent, de l'or, du nickel et du fer. Depuis quelques années, le nickel s'est taillé une place importante sur les marchés étrangers. C'est aujourd'hui, en termes de valeur, le premier produit d'exportation du pays. La République dominicaine produit en outre de grandes quantités de sel à partir des dépôts qui se trouvent notamment aux abords de la ville de Bani. Par ailleurs,

des centrales hydroélectriques parviennent actuellement à produire environ 20% des besoins énergétiques du pays. Comme bien des pays des Antilles, la République dominicaine est toutefois largement dépendante des importations pétrolières.

En ce qui concerne la production industrielle, malgré de récents efforts visant à favoriser la diversification, la transformation de la canne à sucre conserve toujours un rôle prépondérant. Elle sert d'abord à la production de sucre brut et accessoirement à celle du rhum et de la mélasse.

Les industries légères, comme le textile, la chaussure, le vêtement et les produits alimentaires, nécessitant tous une main-d'œuvre abondante, ont connu une croissance soutenue au cours des dernières décennies. Les industries lourdes se concentrent de leur côté dans les secteurs du plastique, de la métallurgie et du raffinage du pétrole.

Le gouvernement dominicain continue à favoriser l'émergence de zones franches près de plusieurs grandes villes afin de favoriser la venue d'entreprises étrangères. Plusieurs sociétés, surtout américaines, canadiennes et asiatiques, assemblent désormais leurs produits en sol dominicain, profitant ainsi d'une main-d'œuvre peu chère et abondante.

Parmi les principaux secteurs de l'économie, on doit également mentionner le tourisme, aujourd'hui la plus importante source de devises étrangères de la République dominicaine. Bien que dominée par des entreprises n'appartenant pas à des intérêts dominicains, l'industrie du tourisme emploie directement près de plusieurs dizaines de milliers de personnes; conscient de l'importance économique du tourisme pour le développement du pays, le nouveau gouvernement a sensiblement accru son soutien à ce secteur d'activité. L'industrie touristique est désormais un secteur clé de l'économie dominicaine et contribue pour environ 70% des entrées totales de devises au pays.

Le tourisme a commencé à se développer à partir des années quatre-vingt et, depuis lors, la République dominicaine s'est taillé une place en tant que destination bon marché. Grâce à la production locale de l'ensemble des denrées alimentaires de base, de nombreux complexes hôteliers peuvent offrir aux touristes une formule «tout compris» (chambre, repas et boissons) à des prix très concurrentiels par rapport à ce qui est offert dans les autres îles de la région.

Enfin, du point de vue structurel, la dépendance envers les marchés du sucre, bien que de moins en moins importante, constitue le problème récurrent de l'économie nationale. Ainsi, depuis maintenant plus de 10 ans, la crise économique que traverse la République dominicaine est largement imputable à la baisse des importations américaines de sucre et à l'effondrement des prix. Le pays traîne en outre une dette extérieure qui semble hors de contrôle et freine considérablement son développement économique. La situation de l'emploi est quant à elle peu reluisante, puisque plus du quart de la population active n'a pas d'emploi fixe.

Population

Occupant les deux tiers de l'île d'Hispaniola, qu'elle partage avec Haïti, la République dominicaine comptait, au dernier recensement, quelque 8 000 000 habitants, majoritairement regroupés à Santo Domingo et dans la vallée de Cibao. La densité de la population s'élève à 150 hab./km², et le taux de natalité compte parmi les plus élevés des Caraïbes; actuellement, 48% des Dominicains sont âgés de moins de 14 ans. Par ailleurs, ces dernières années, la mauvaise situation économique a forcé nombre de Dominicains à s'exiler et les moins fortunés tentent d'entrer illégalement aux États-Unis en s'embarquant d'abord pour Puerto Rico.

Même s'il est assez difficile de dresser un tableau précis de la composition raciale du pays, on s'entend généralement pour distinguer trois groupes. Les mulâtres, qui représentent 73% de la population totale du pays, constituent le plus important de ces groupes, suivi des Blancs (16%) et des Noirs (11%). Une disparité économique existe entre les groupes, défavorisant de manière générale les Noirs.

Les origines de la population dominicaine sont diverses, mais la plupart ont des ascendances espagnoles ou africaines. Un nombre plus restreint provient de l'émigration haïtienne et occupe généralement les emplois les moins bien rémunérés.

Dans l'ensemble, les citoyens d'origine haïtienne ne sont pas très bien acceptés; les conflits qui ont marqué les relations entre les deux pays de l'île ont laissé des séquelles encore aujourd'hui palpables. Par ailleurs, notons que les grands centres urbains possèdent souvent de petites communautés asiatiques, alors que plusieurs habitants de Sosúa descendent de juifs d'Europe de l'Est ayant fui le nazisme à la fin des années trente. On ne trouve plus de représentants autochtones, car ils ont été anéantis au tout début de la colonisation.

Une majorité de Dominicains, soit plus de 95%, se considèrent catholiques. Dans les montagnes, toutefois, une petite partie des habitants d'origine haïtienne pratique le vaudou.

Rappelons que l'espagnol est la seule langue officielle du pays et constitue en fait la langue maternelle de 98% de la population. Cependant, le long de la frontière haïtienne, certains habitants s'expriment en créole. Partout au pays, même dans les centres touristiques, les Dominicains vous adresseront d'abord la parole en espagnol. Néanmoins, on trouve fréquemment des gens parlant l'anglais, l'allemand ou le français.

Arts et culture

La République dominicaine, longtemps colonie espagnole et terre d'accueil de milliers d'Africains, a vu cette double influence marquer son activité artistique. Au cours des premières années de la colonisation, les arts ont connu certaines périodes florissantes, en particulier au XVIe siècle. Il faut cependant attendre le XIXe siècle pour que le pays obtienne son indépendance et acquière une relative stabilité, nécessaire à l'épanouissement constant des arts. Ainsi, depuis la fin du siècle dernier, les arts n'ont cessé de se développer, quoiqu'ils aient souvent été muselés par la censure.

La littérature

Le premier à avoir vanté les charmes de l'île d'Hispaniola est nul autre que Christophe Colomb, dont les récits de voyages offrent les premières descriptions des lieux. Par ailleurs, très tôt dans l'histoire coloniale, naît une littérature de langue espagnole proprement dominicaine. La création de l'université Santo Tomás de Aquino (première université d'Amérique), dès 1538, favorise l'émergence de cette littérature. Essentiel-

lement composés de récits, de journaux et de chroniques des premiers voyageurs et des missionnaires, ces écrits ont d'abord pour but de dépeindre et de faire connaître le territoire. Parmi ces premiers textes, on peut mentionner *Historia natural y general de Indias* de Gonzalo Fernández de Oviedo, *Doctrina Cristiana* du frère Pedro de Córdoba et *Historia de las Indias* du frère Bartolomé de las Casas.

Au cours des XVIIe et XVIIIe siècles, l'invasion française ainsi que les contacts plus difficiles avec l'Espagne ont pour conséquence de freiner le développement littéraire du pays. Il faut donc attendre le XIXe siècle pour assister à la résurgence de la littérature. Quelques écrivains marquent alors la vie littéraire, en particulier Félix María del Monte, qui se fait connaître par sa poésie patriotique. Mentionnons également les textes de Salomé Ureña prônant une amélioration des conditions de vie des femmes du pays. Composé à la fin du XIXe siècle et au début du XXe siècle, le texte historique *Enriquillo* de Manuel de Jesús Galván compte certes parmi les plus importants de cette époque.

La période suivant l'indépendance du pays (1880), ternie par

Portrait

l'intervention américaine (1916), voit se développer une littérature valorisant une prise de conscience des réalités sociales ainsi des écrits plus patriotiques. Ainsi, Federico Bermúdez écrit *Los Humildes*, où il dénonce les souffrances du peuple dominicain. Federico García Godoy raconte l'avènement de l'indépendance dans trois puissantes nouvelles: *Rufinito*, *Alma Dominicana* et *Guanuma*. Possédant une très grande maîtrise de la langue espagnole, Gastón Fernando Deligne, bien que très conservateur dans le choix de ses thèmes, compte parmi les plus grands poètes du pays. On assiste également à l'émergence d'un groupe louangeant les valeurs simples et bonnes de la vie des paysans, mais dont les thèmes s'avèrent fort peu modernes. Domingo Moreno Jimenes en est le chef de file.

Durant les années qui suivent, soit celles de la dictature du président Trujillo, on assiste à un ralentissement de l'activité littéraire. La répression étant brutale, les auteurs s'expriment alors avec moins de liberté. Des écrivains comme Manuel Rueda et Lupo Fernández Rueda ont recours à l'utilisation de symboles et de métaphores dans le but de contester de

manière discrète certaines facettes de ce régime politique. D'autres doivent s'exiler. C'est dans ce contexte troublé que Pedro Mir, alors à Cuba, compose son très beau poème «Il existe en ce monde un pays».

Au cours des années quarante, une plus grande ouverture aux mouvements littéraires étrangers permet l'émergence du mouvement dit de la «poésie surprise». Parmi les écrivains dits «indépendants», Tomás Hernández Franco se fait connaître par des œuvres modernes contestant le régime en place. Des textes d'une grande envergure sont également créés. Ainsi, Antonio Fernández Spencer publie des recueils de poésie qui seront reconnus à l'étranger. L'un des auteurs les plus marquants du XXe siècle, Juan Bosch, compose la plus grande partie de son œuvre durant ces années de dictature. Ses récits, fort intéressants et d'une grande qualité littéraire, évoquent la vie quotidienne des paysans dominicains. Au lendemain de la chute de Trujillo, il préside pendant quelques mois aux destinées de la République dominicaine et demeure durant de longues années un homme politique de premier plan. Toutefois, pendant ces 30 ans de dictature, plusieurs écrivains optent pour le silence ou l'exil, et ils ne publient leurs textes qu'après la mort du président Trujillo (1961). Malgré ces années noires, les mouvements littéraires demeurent dynamiques et innovateurs.

Par la suite, l'expression littéraire acquérant plus de liberté, plusieurs auteurs se démarquent par la qualité de leurs écrits, dans lesquels une forte influence des courants littéraires étrangers se fait sentir. Parmi ces écrivains, il faut mentionner Iván García Guerra, Miguel Alfonseca, Jeannette Miller, Alexis Gómez, Soledad Álvarez et l'ancien président du pays, Joaquín Balaguer.

Si vous désirez en connaître plus sur la poésie dominicaine, il existe un ouvrage publié aux éditions Patiño, *Poésie dominicaine* du XXe siècle, où l'auteur, Claude Couffon, propose une traduction des plus grands poèmes dominicains.

La peinture

La République dominicaine compte une foule de peintres importants, qui ont su se faire connaître dans des milieux artistiques tant dominicains qu'étrangers. Les toiles, souvent aux coloris riches et joyeux, sont véritablement une illustration du bouillonnement artistique de cette île. Parmi les peintres réputés du pays, mentionnons Guillo Pérez, Elsa Núñez, Fernando Ureña Rib, Candido Bibo et Jorge Severino. Deux autres grands peintres, Yioryi Morel et Jaime Colsón, ont su, de leur vivant, se démarquer et demeurer parmi les plus grands du pays.

La musique et la danse

La musique et la danse occupent une place significative dans la vie quotidienne des Dominicains. Bien plus qu'un divertissement occasionnel, la musique accompagne les gens à toute heure de la journée, qu'ils se trouvent dans les autobus bondés, dans les plus modestes échoppes, au travail, à la maison ou, jusque très tard la nuit, dans les multiples discothèques de Santo Domingo et de toute autre ville.

Parmi les mouvements musicaux en vogue, c'est d'abord le *merengue* et ses variantes, cette entraînante musique aux rythmes endiablés originaire de l'île, qui, en premier lieu, obtient la faveur des Dominicains. Cette popularité du *merengue* traverse aujourd'hui l'ensemble des couches sociales du pays. À l'origine, toutefois, le *me-*

rengue était d'abord identifié aux classes rurales. C'est en effet dans la campagne dominicaine qu'a vu le jour cette musique rythmée au son, notamment, de l'accordéon, des tambours, du saxophone et des percussions.

Le *merengue* s'est imposé à l'ensemble du pays à partir des années trente, sous le régime du général Trujillo, qui était lui-même un rural adepte de cette musique. De cette époque, mentionnons l'artiste talentueux Francisco Ulloa, qui a su se distinguer. À la fin des années cinquante, les grands ensembles se sont à leur tour développés, et Johnny Ventura compte parmi les figures de proue de ce mouvement. Puis, tout en conservant ses rythmes d'origine, le *merengue* s'est modernisé, laissant plus de place au saxophone et remplaçant l'accordéon par la guitare électrique, le clavier et le synthétiseur. Le *merengue* s'est également ouvert à de multiples influences comme la salsa, le rock'n'roll, le zouk et le reggae.

Parmi les autres stars du *merengue* dominicain, mentionnons Tonio Rosario et Fernandito Villalona.

Si les Dominicains adorent le *merengue*, ils apprécient aussi tout particulièrement la *batchata*, leur autre musique nationale. La *batchata* est désormais de plus en plus populaire auprès des diverses classes sociales en République dominicaine. Cette musique, aux rythmes plus lents que le *merengue*, a d'abord été largement associée aux ouvriers et aux paysans dominicains. L'amour reste le thème essentiel qu'abordent les chanteurs de *batchata*. Les artistes les plus connus au pays sont actuellement Antony Santos, Raúl Rodríguez et Luis Vargas.

Les Dominicains s'intéressent aussi beaucoup à la salsa et à plusieurs autres styles musicaux venus d'ailleurs.

Depuis quelque temps déjà, la fraîcheur et la gaieté du *merengue* ont cessé de plaire aux seuls Dominicains. Certains des plus grands talents du pays sont désormais devenus des stars internationales, connues autant dans le reste du bassin des Caraïbes que dans l'ensemble des pays hispanophones ou ailleurs dans le monde. Dans les années quatre-vingt-dix, le groupe 4:40 et son leader Juan Luis Guerra ont remporté des succès retentissants sur la scène internationale.

Entre autres, les chanteurs espagnols et latino-américains sont omniprésents et obtiennent beaucoup de succès auprès de la population. La musique pop et les airs découlant des mouvements musicaux afro-américains, notamment le reggae, sont également fort répandus au pays. Enfin, la musique classique a aussi ses inconditionnels et, à Santo Domingo, on peut assister aux concerts de l'excellent orchestre symphonique de la République dominicaine.

Baseball

Le baseball est au moins aussi populaire en République dominicaine et dans les autres pays latins du bassin des Caraïbes qu'aux États-Unis, dont il est originaire. Les jeunes Dominicains pratiquent d'ailleurs ce sport plus que tout autre; des terrains sont aménagés à cet effet dans tous les quartiers de la capitale comme dans les plus petits villages du pays. Un gant, une balle et un bâton, voilà tout ce qu'il faut pour jouer au baseball, ce qui en fait un sport économique, un avantage indéniable dans un pays comme la République dominicaine, où un partie importante de la population dispose de revenus très modestes.
Sport national des Dominicains, le baseball est aussi un grand divertissement populaire. Les exploits des grandes stars dominicaines du baseball professionnel sont suivis avec passion et décrits dans leurs moindres détails par les médias locaux.

Le baseball professionnel existe depuis plus d'une centaine d'années en République dominicaine. La ligue professionnelle compte actuellement cinq équipes, deux à Santo Domingo et les autres à San Pedro de Macorís, Santiago de los Caballeros et La Romana. Chaque équipe joue une soixantaine de matchs entre les mois d'octobre et février, et la saison se termine par un championnat opposant les meilleures équipes de tout le bassin des Caraïbes. Des discussions actuellement en cours devraient bientôt permettre à la ville de Puerto Plata d'avoir sa propre équipe dans cette ligue. Le vieux stade, à l'entrée est de la ville (près de la rhumerie Brugal), sera vraisemblablement réaménagé à cet effet. Gageons que l'équipe de Puerto Plata suscitera beaucoup d'intérêt auprès des nombreux touristes de passage dans la région.

La réputation du baseball dominicain a connu un essor au cours des années cinquante avec les succès remportés par les premiers joueurs originaires de l'île à évoluer dans les ligues majeures américaines. Ozzie Virgil, en 1956, a été le tout premier joueur à se faire connaître aux États-Unis. Mais c'est avant tout grâce au remarquable talent du lanceur droitier Juan Marichal, embauché par les Giants de San Francisco, et des trois frères Alou (Felipe, Mateo et Jesús), que la qualité des joueurs dominicains est devenue manifeste.

Depuis Virgil, Marichal et les frères Alou, près de 200 jeunes joueurs dominicains ont pris part à des matchs dans les ligues majeures américaines, certains des plus célèbres étant Rico Carty, Manny Mota, César Cedeno, Pedro Guerrero, Frank Taveras, Pepe Fria, Alfredo Griffín, Rafael Landestoy, Joaquín Andujar, Tony Peña, George Bell, Damaso García, Pasqual Pérez, Mario Soto, Raúl Mondesi, Julio Franco, Moises Alou, Mel Rojas, Carlos Pérez, Vladimir Courrero, Pedro Martinez et Sammy Sosa. D'ailleurs, hormis les États-Unis, c'est la République dominicaine qui a fourni le plus grand nombre de joueurs aux ligues américaines de baseball. On prétend par ailleurs que San Pedro de Macoris aurait fourni à ces mêmes ligues plus de joueurs *per capita* que toute autre ville dans le monde.

Les combats de coqs

Introduits par les Espagnols, les combats de coqs se tiennent aux quatre coins de la République dominicaine. Autour des *pitts* (arènes en terre battue), les hommes prennent place pour assister au combat qui opposera deux coqs. Avant l'affrontement, il faut s'adonner au cérémonial d'usage, qui porte sur la pesée et la pose des ergots, suivies de la présentation des propriétaires des combattants. Puis, lorsque les juges décident que les coqs sont aptes au combat, celui-ci peut commencer. Pour être vainqueur, le coq doit tuer son rival ou du moins, le mettre hors combat.

Pour s'y retrouver sans mal

L'autoroute 5 relie toutes les villes côtières, de Puerto Plata jusqu'à la péninsule de Samaná. Elle est généralement en excellente condition. À partir de l'autoroute 5, plusieurs routes permettent de traverser les magnifiques paysages de la cordillère Septentrionale pour se rendre dans le centre du pays. L'une des plus belles et des plus utiles est certes la Carretera Turística, qui permet de rejoindre rapidement Santiago de los Caballeros à partir de la côte. L'avantage de cette belle route de montagne, c'est que, comme les camions ne sont pas autorisés à y rouler, la circulation y est plus rapide et plus plaisante.

Sur la côte Atlantique, les routes sont généralement en bon état et la circulation n'est pas très dense. Une exception existe cependant, autour de Puerto Plata, là où la route s'élargit pour compter jusqu'à quatre voies. Les automobilistes en profitent alors pour accélérer et tenter de se faufiler, parfois avec témérité, afin de doubler les mobylettes et autres véhicules plus lents. Aux

heures de pointe (le matin et en fin d'après-midi), alors que la circulation se fait plus importante et que les obstacles sont plus nombreux, vous devrez faire preuve d'un peu de prudence afin d'éviter tout véhicule qui pourrait inopinément se dresser devant vous.

Puerto Plata

Vous ne pouvez emprunter qu'une seule route principale pour vous rendre à Puerto Plata. Celle-ci traverse la ville d'ouest en est, où elle prend le nom d'Avenida Circunvalación Sur. Parallèle à cette artère, l'avenue Circunvalación Norte (qui devient par la suite l'avenue Luperón) longe l'océan, de la plage Long Beach jusqu'à la forteresse San Felipe. Ces deux grandes voies de circulation sont reliées à l'ouest par l'avenue Colón et à l'est par l'avenue Mirabal. On peut se retrouver aisément à Puerto Plata en utilisant ces quatre avenues, qui forment un rectangle ceinturant la ville. La plupart des hôtels que compte Puerto Plata sont regroupés à l'est, en face de

Long Beach ou le long de l'avenue Mirabal. Si vous n'êtes pas en voiture, il est possible de circuler rapidement à Puerto Plata en hélant une motocyclette, car les gens du pays ont l'habitude de faire monter des passagers sur leur moto et peuvent vous conduire d'un bout à l'autre de la ville pour environ 1$.

Arrêts d'autocars

Pour les longues distances, choisissez l'une des deux entreprises suivantes, qui assurent un service direct et bon marché dans des autocars climatisés.

Métro Calle, 16 de Ayote, angle Bellevue, ☎586606
Caribe Tours, Calle 12 de Julio, ☎5864544

Arrêts de guaguas

Les *guaguas* en provenance ou en direction de l'ouest de l'île et de Santo Domingo s'arrêtent sur l'avenue Imbert (le prolongement de l'avenue Circonvalación Sur), à environ 500 m à l'ouest de l'avenue Colón. Pour prendre la direction des villes situées à l'est de Puerto Plata, rendez-vous en face de l'hôpital.

Taxi

On peut être conduit de Puerto Plata jusque dans les autres centres de villégiature de la côte ou ailleurs au pays par taxi privé. À Puerto Plata, de telles stations sont situées au Parque Central et dans la zone hôtelière en face de Long Beach.

Sosúa

La compagnie d'autocars Caribe Tours a un arrêt à l'entrée du quartier Los Charamicos, à quelques centaines de mètres de la plage.

Pour prendre un autobus public (*guagua*) vers l'est ou vers l'ouest, vous n'avez qu'à vous rendre sur la route principale. Les services sont très fréquents pour chacune des directions.

Cabarete

Pour prendre un autobus public (*guagua*) vers l'ouest comme vers l'est, vous n'avez qu'à attendre le long de l'autoroute, également la seule véritable artère de cette petite communauté.

Renseignements généraux

Il est facile de voyager partout en République dominicaine, et particulièrement sur la côte nord, que ce soit seul ou en groupe organisé.

Pour profiter au maximum de son séjour, il est important de bien se préparer. Le présent chapitre a pour but de vous aider à organiser votre voyage. Vous y trouverez des renseignements généraux et des conseils pratiques visant à vous familiariser avec les habitudes locales.

Formalités d'entrée

Veillez à apporter tous les documents nécessaires pour entrer et sortir du pays. Quoique ces formalités soient peu exigeantes, sans les documents requis, on ne peut voyager en République dominicaine. Gardez donc avec soin ces documents officiels.

Le passeport

Pour entrer en République dominicaine, si vous êtes citoyen canadien, il est conseillé de posséder un passeport valide pour toute la durée du séjour. Il est également possible d'entrer en n'ayant en sa possession qu'un certificat de naissance officiel ou une carte de citoyenneté, accompagné d'une carte d'identité avec photo. Il ne faut toutefois pas oublier qu'en cas de problèmes avec les autorités le document d'identification attestant le plus officiellement votre identité demeure le passeport.

Les voyageurs de la communauté européenne doivent, pour leur part, toujours avoir en leur possession un passeport valide.

Il est recommandé de toujours prendre soin de conserver une photocopie des pages principales et de conserver le numéro et la date d'échéance de votre passeport. Dans l'éventualité où ce document serait perdu ou volé, il serait alors plus facile de le remplacer (faites de même avec votre certificat de naissance ou carte de citoyenneté). Lorsqu'un tel incident survient, il faut contacter l'ambassade ou le consulat de votre pays (pour les adresses, voir ci-dessous) pour faire émettre de nouveau un document équivalent.

La carte de tourisme

Pour entrer au pays, il est nécessaire d'avoir en sa possession une carte de tourisme (*tarjeta del turista*). Dans la plupart des cas, cette carte est remise par l'agence de voyages à l'aéroport ou dans l'avion, avec le billet d'avion. Elle permet à tout visiteur (canadien, français, belge ou suisse) de rester 60 jours au pays. Généralement, le prix du billet d'avion ou du forfait comprend le montant nécessaire à l'achat de cette carte qui coûte 10$. Il faut la conserver avec soin durant tout le voyage, car elle devra être remise aux autorités à l'aéroport à la fin du séjour.

Le visa

Les touristes de nationalité canadienne ou de la communauté européenne n'ont pas besoin de visa pour entrer en République dominicaine.

La taxe de départ

Une taxe de départ de 10$ doit être versée par toute personne quittant la République dominicaine. Le paiement de cette taxe se fait en partant, à l'aéroport, au moment de la réservation de vos sièges. Veillez à disposer de cette somme en argent comptant, car les cartes de crédit ne sont pas acceptées.

Les douanes

On peut entrer au pays en ayant en sa possession un litre d'alcool, 200 cigarettes et des articles (autres que des articles personnels) d'une valeur de 100$. Il est, bien sûr, interdit d'importer de la drogue et des armes à feu.

Les ambassades et les consulats

Ambassades et consulats étrangers en République dominicaine

Ils peuvent fournir une aide précieuse aux visiteurs qui se trouvent en difficulté (par exemple en cas d'accident ou de décès, fournir le nom de médecins ou d'avocats, etc.). Toutefois, seuls les cas urgents sont traités. Il faut noter que les coûts relatifs à ces services ne sont pas défrayés par ces missions consulaires.

Belgique
Agencias Navieras Báez
504, av. Abraham Lincoln
Santo Domingo
☎(809) 562-1661
≈(809) 562-3383

Canada
30, av. Máximo Gómez
Santo Domingo
☎(809) 685-1136
≈(809) 682-2691

Espagne
1205, av. Independencia
Santo Domingo
☎(809) 535-1615
≈(809) 535-1595

France
Edificio Heinsen, 2e étage
353, av. George Washington
Santo Domingo
☎(809) 689-2161
≈(809) 221-8408

Italie
4, av. Rodríguez Objío
☎(809) 689-3684
≈(809) 682-8296

Suisse
26, av. José Gabria García
Santo Domingo
☎(809) 685-0126

Ambassades et consulats de la République dominicaine à l'étranger

Belgique
160-A, av. Louise
1050 Bruxelles
☎648-0840
≈640-9561

Canada
1650, bd De Maisonneuve
Bureau 302
Montréal
☎ *(514) 933-9008*
☎ *800-563-1611*

France
L'ambassade
45, rue de Courcelle
75008 Paris
☎ *01 53 53 95 95*
⇄ *01 45 63 35 63*

Les consulats:
24, rue Vernier
75017 Paris
☎ *01 55 37 10 30*
⇄ *01 44 09 98 88*

146 rue Paradis
13006 Marseille
☎ *04 91 57 01 00*
⇄ *04 91 57 00 88*

Suisse
16, rue Genus
Genève
☎ *738-0018*

Belgique
160-A, av. Louise 2C
1050 Bruxelles
☎ *350-0840*
⇄ *640-9561*

Canada
2080, rue Crescent
Montréal (Québec)
H3G 2V8
☎ *(514) 499-1918*
⇄ *(514) 499-1393*

Espagne
Núñez de Balboa 37
4to. Izquierda
Madrid
☎ *431-5354*

France
11, rue Boudreau
75016 Paris
☎ *01.43.12.91.91*
⇄ *01.44.94.08.80*

Suisse
Zolikerstrasse 141
8034 Zurich
☎ *55.02.42*

Les offices de tourisme

Ces offices ont pour fonction d'aider les voyageurs à préparer leur voyage en République dominicaine. Les responsables du bureau peuvent répondre aux questions des visiteurs et fournissent des brochures.

Renseignements touristiques en République dominicaine

Secretaría de Estado de Turismo Oficinas Gubernamentales
Bloque D, av. México
À l'angle de la Calle 30 de Marzo
Bureau 497
Santo Domingo
☎ *(809) 221-4660*
⇄ *(809) 682-3806*

Bureau de renseignements touristiques de Puerto Plata
1, Avenida Hermanas Mirabal
Parque Costeroé
☎586-3676

Sur le Net

www.dominicana.com.do

L'arrivée au pays

Plusieurs voyagistes proposent des forfaits incluant l'avion, l'hébergement et les repas. Ces formules amènent généralement les visiteurs dans un des villages touristiques du pays, notamment Playa Dorada, Sosúa ou Cabarete. Voici quelques voyagistes se spécialisant dans ce type de voyage : Vacances Signature, Royal Vacances et Vacances Air Transat.

Il est également facile de partir en ne prenant que son billet d'avion et en trouvant à se loger sur place, les lieux d'hébergement étant nombreux et situés dans toutes les régions de l'île. Cette façon de procéder offre plus de flexibilité aux voyageurs. En dehors des périodes de pointe (vacances de Noël et Semaine sainte), on ne devrait avoir aucun problème à se loger, tant dans les villages dominicains reculés (en faisant des concessions sur le confort) que dans les villages touristiques.

Par avion

La République dominicaine compte sept aéroports internationaux, situés à Santo Domingo (Las Américas et Herreras), Puerto Plata, Punta Cana, La Romana (Cajuiles), Santiago et Barahona. Les aéroports les plus importants sont ceux de Santo Domingo et de Puerto Plata, qui reçoivent régulièrement des vols internationaux. Les autres aéroports n'accueillent que de petits avions et des vols nolisés.

L'aéroport de Puerto Plata

De bonne taille, l'aéroport de Puerto Plata propose tous les services utiles aux voyageurs. Il n'est situé qu'à 18 km à l'est de laville de Puerto Plata et à 8 km à l'ouest de Sosúa.

Aéroport international de Puerto Plata
☎586-0219

Vols intérieurs

La compagnie aérienne **Air Santo Domingo** (☎683-8020) propose des vols pour différentes villes du pays à partir de Puerto Plata. Elle assure des liaisons entre les principales villes du pays.

Les assurances

L'annulation

Cette assurance est normalement suggérée par l'agent de voyages au moment de l'achat du billet d'avion ou du forfait. Elle permet le remboursement du billet ou forfait, dans le cas où le voyage devrait être annulé en raison d'une maladie grave ou d'un décès. Les gens n'ayant pas de problèmes de santé ont peu de chance d'avoir recours à une telle protection. Elle demeure par conséquent d'une utilité relative.

Vol

La plupart des assurances-habitation au Canada protègent une partie des biens du titulaire contre le vol, même si celui-ci a lieu à l'étranger. Pour réclamer, il faut avoir une copie du rapport de police. En général, la couverture pour le vol en voyage correspond à 10 % de la couverture totale. Selon les montants couverts par votre police

d'assurance-habitation, il n'est pas toujours utile de prendre une assurance supplémentaire. Pour les voyageurs européens, il est recommandé de prendre une assurance-bagages.

L'assurance-maladie

Sans doute la plus utile, l'assurance-maladie s'achète avant de partir en voyage. Cette police d'assurance doit être la plus complète possible, car, même en République dominicaine, le coût des soins est élevé. Au moment de l'achat de la police, il faudrait veiller à ce qu'elle couvre bien les frais médicaux de tout ordre, comme l'hospitalisation, les services infirmiers et les honoraires des médecins (jusqu'à concurrence d'un montant assez élevé). Une clause de rapatriement, pour le cas où les soins requis ne peuvent être administrés sur place, est précieuse. En outre, il peut arriver que vous ayez à débourser le coût des soins en quittant la clinique. Il faut donc vérifier ce que prévoit votre police dans ce cas. Durant votre séjour, vous devriez toujours garder sur vous la preuve que vous avez contracté une assurance-maladie, ce qui vous évitera bien des ennuis si par malheur vous en avez besoin.

La santé

La République dominicaine est un superbe pays à découvrir. Malheureusement, les visiteurs peuvent y attraper certaines maladies, comme la malaria, la typhoïde, la diphtérie, le tétanos, la polio et l'hépatite A. Aussi est-il recommandé, avant de partir, de se rendre à une clinique des voyageurs ou chez un médecin qui vous conseillera sur les précautions à prendre. N'oubliez pas qu'il est bien plus simple de se protéger de ces maladies que de les guérir. Il est donc utile de prendre les médicaments, les vaccins et les précautions nécessaires afin d'éviter des problèmes de santé susceptibles de s'aggraver.

Les maladies

La brève description des principales maladies qui suit n'est présentée qu'à titre informatif.

La malaria

La malaria (ou paludisme) est causée par un parasite sanguin que l'on nomme *Plasmodium sp*. Ce parasite est transmis par un moustique (l'anophèle) qui est actif à partir de la tombée du jour jusqu'à l'aube. En République dominicaine, la malaria est présente toute l'année dans les zones rurales de tout le pays, surtout le long de la frontière haïtienne. Les risques sont faibles et ne justifient pas la prise de médicaments en prévention lors de séjours dans les stations touristiques les plus importantes. On suggère quand même les mesures de protection contre les piqûres de moustiques (voir plus bas).

La maladie se caractérise par de fortes poussées de fièvre, des frissons, une fatigue extrême, des maux de tête ainsi que des douleurs abdominales et musculaires. L'infection peut parfois être grave quand elle est causée par l'espèce *P. falciparum*. La maladie peut survenir lors du séjour à l'étranger ou dans les 12 semaines après le retour. Exceptionnellement, elle se manifestera plusieurs mois plus tard. Il importe alors de consulter un médecin.

L'hépatite A

Cette infection est surtout transmise par des aliments ou de l'eau que vous ingérez et qui ont été en contact avec des matières fécales. Les principaux symptômes sont la fièvre, parfois la jaunisse, la perte d'appétit et la fatigue. Cette maladie peut se déclarer entre 15 et 50 jours après la contamination. Il existe une bonne protection contre la maladie : un vaccin administré par injection avant le départ. En plus du traitement recommandé, il est conseillé de se laver les mains avant chaque repas et de s'assurer de l'hygiène des lieux et des aliments consommés.

L'hépatite B

Tout comme l'hépatite A, l'hépatite B touche le foie, mais elle se transmet par contact direct ou par échange de liquides corporels. Ses symptômes s'apparentent à ceux de la grippe et se comparent à ceux de l'hépatite A. Un vaccin existe aussi, mais sachez qu'il est administré sur une certaine période, de sorte que vous devriez prendre les dispositions nécessaires auprès de votre médecin plusieurs semaines avant votre départ.

La fièvre rouge (dengue)

La fièvre rouge (aussi appelée «fièvre solaire» ou «dengue») est transmise par les moustiques et, dans sa forme la plus bénigne, peut entraîner de légers malaises semblables à ceux d'une grippe : maux de tête, changements de température, muscles douloureux et nausée. Dans sa forme hémorragique, la plus grave et la plus rare, elle peut entraî-

ner la mort. Il n'existe pas de vaccin contre cet organisme, alors il faut prendre des précautions contre les moustiques.

La fièvre typhoïde

Cette maladie est causée par l'ingestion d'eau ou d'aliments ayant été en contact (direct ou non) avec les selles d'une personne contaminée. Les symptômes les plus communs en sont une forte fièvre, la perte d'appétit, les maux de tête, la constipation et, à l'occasion, la diarrhée ainsi que l'apparition de rougeurs sur le corps. Ils apparaissent de une à trois semaines après l'infection initiale. L'indication thérapeutique du vaccin (qui existe sous deux formes différentes, soit intramusculaire ou en pilule) dépendra de votre itinéraire. Encore une fois, il est toujours plus prudent de consulter la clinique quelques semaines avant le départ afin de bien planifier la série d'injection de vaccins.

La diphtérie et le tétanos

Ces deux maladies, contre lesquelles la plupart des gens ont été vaccinés dans l'enfance, ont des conséquences graves. Donc, avant de partir, vérifiez si vous êtes bel et bien protégé contre elles; un rappel s'impose parfois. La diphtérie est une infection bactérienne qui se transmet par les sécrétions provenant du nez ou de la gorge, ou encore par une lésion de la peau d'une personne infectée. Elle se manifeste par un mal de gorge, une fièvre élevée, des malaises généraux et parfois des infections de la peau. Le tétanos est causé par une bactérie. Elle pénètre dans l'organisme lorsque vous vous blessez et que cette blessure entre en contact avec de la terre ou de la poussière contaminée.

Les autres maladies

Des cas de maladies telles que l'hépatite B, le sida et certaines maladies vénériennes ont été rapportés; il est donc sage d'être prudent à cet égard.

Autour des villages de Hato Mayor, de Higüey, de Nisibón et d'El Seibó, les nappes d'eau douce peuvent être contaminées par l'organisme causant la schistosomiase (bilharziose). Cette maladie, provoquée par un ver qui s'infiltre dans le corps pour s'attaquer au foie et au système nerveux, est difficile à traiter. Il faut donc éviter de se baigner dans toute nappe d'eau douce dans ces régions.

N'oubliez pas non plus qu'une trop grande consommation d'alcool peut causer des malaises, particulièrement lorsqu'elle s'accompagne d'une trop longue exposition au soleil. Elle peut aussi entraîner une certaine déshydratation.

Faute de moyens, les équipements médicaux de la République dominicaine ne sont pas toujours aussi modernes que dans votre pays. Si vous devez requérir des soins médicaux en République dominicaine, attendez-vous à ce qu'ils ne soient pas les mêmes que chez vous. D'ailleurs, en dehors des grandes villes, les centres médicaux pourront vous paraître modestes. Les hôpitaux sont généralement moins bien équipés que les cliniques. Aussi, en cas de besoin, il est recommandé de se rendre dans ces dernières. Dans les centres touristiques, on trouve toujours des médecins parlant l'anglais. Lors de toute transfusion sanguine, veillez (si possible) à ce que les tests évaluant la qualité du sang aient été bien effectués.

Les malaises que vous risquez le plus d'attraper sont causés par une eau mal traitée, susceptible de contenir des bactéries provoquant certains problèmes, comme des troubles digestifs, de la diarrhée, de la fièvre. Il est donc préférable d'éviter d'en consommer. L'eau en bouteille, que vous pouvez acheter un peu partout au pays, est la meilleure solution pour éviter ces ennuis. Lorsque vous achetez l'une de ces bouteilles, tant au magasin qu'au restaurant, vérifiez toujours qu'elle soit bien scellée. Dans les grands hôtels, il est courant que l'eau soit traitée, mais vérifiez toujours auprès du personnel avant d'en boire. Les fruits et les légumes nettoyés à l'eau courante (ceux qui ne sont donc pas pelés avant d'être consommés) peuvent causer les mêmes désagréments.

Dans l'éventualité où vous auriez la diarrhée, diverses méthodes peuvent être utilisées pour la traiter. Tentez de calmer vos intestins en ne mangeant rien de solide et en buvant des boissons gazeuses, de l'eau en bouteille, du thé ou du café (évitez le lait) jusqu'à ce que la diarrhée cesse. La déshydratation pouvant être dangereuse, il faut boire beaucoup. Pour remédier à une déshydratation sévère, il est bon d'absorber une solution contenant un litre d'eau, deux à trois cuillerées à thé de sel et une sucre. Vous trouverez également des préparations toutes faites dans la plupart des pharmacies. Par la

suite, réadaptez tranquillement vos intestins en mangeant des aliments faciles à digérer. Des médicaments, tel l'Imodium, peuvent aider à contrôler certains problèmes intestinaux. Dans les cas où les symptômes sont plus graves (forte fièvre, diarrhée importante...), un antibiotique peut être nécessaire. Il est alors préférable de consulter un médecin.

La nourriture et le climat peuvent également être la cause de divers malaises. Une certaine vigilance s'impose quant à la fraîcheur des aliments (en l'occurrence la viande et le poisson) et à la propreté des lieux où la nourriture est apprêtée. Une bonne hygiène (entre autres, se laver fréquemment les mains) vous aidera à éviter bon nombre de ces désagréments.

Il est recommandé de ne jamais marcher pieds nus à l'extérieur, car parasites et insectes minuscules pourraient traverser la peau et causer divers problèmes, notamment des dermites (infection à champignons).

Les insectes

L'omniprésence des insectes, particulièrement de mai à octobre, aura vite fait d'ennuyer plus d'un vacancier. Pour vous protéger, vous aurez besoin d'un bon insectifuge. Les produits répulsifs renfermant du DEET sont les plus efficaces. La concentration de DEET varie d'un produit à l'autre; plus la concentration est élevée, plus la protection est durable. Dans de rares cas, l'application d'insectifuges à forte teneur (plus de 35%) en DEET a été associée à des convulsions chez de jeunes enfants; il importe donc d'appliquer ce produit avec modération, seulement sur les surfaces exposées, et de se laver pour en faire disparaître toute trace dès qu'on regagne l'intérieur. Le DEET à 35% procure une protection de 4 à 6 heures, alors que celui à 95% protège pendant 10 à 12 heures. De nouvelles formulations de DEET, dont la concentration est moins élevée mais qui offrent une protection plus durable, sont disponibles en magasin.

Dans le but de minimiser les risques d'être piqué, couvrez-vous bien en en ne portant pas de vêtements aux couleurs vives et évitez de vous parfumer. N'oubliez pas que les insectes sont plus actifs au crépuscule. Lors de promenades dans les montagnes et dans les régions forestières, des chaussures et chaussettes protégeant les pieds et les jambes seront certainement très utiles. Des spirales insectifuges vous permettront de passer des soirées plus agréables. Avant de vous coucher, enduisez votre peau d'insectifuge ainsi que la tête et le pied de votre lit. Vous pouvez aussi dormir sous une moustiquaire, mais le mieux reste encore de louer une chambre climatisée.

Comme il est impossible d'éviter complètement les moustiques, vous devriez apporter une pommade pour calmer les irritations causées par les piqûres.

Le soleil

Aussi attirants que puissent être les chauds rayons du soleil, ils peuvent être la cause de bien des petits ennuis, aussi pour profiter au maximum de ses bienfaits, sans souffrir, veillez à toujours opter pour une crème solaire qui vous protège bien (indice de protection 15 pour les adultes et 25 pour les enfants), et à l'appliquer de 20 à 30 min avant de vous exposer. Toutefois, même avec une bonne protection, une trop longue période d'exposition, les premières journées surtout, peut causer une insolation, provoquant étourdissement, vomissement, fièvre, etc. N'abusez donc pas du soleil. Un parasol, un chapeau et des lunettes de soleil sont autant d'accessoires qui vous aideront à contrer les effets néfastes du soleil tout en profitant de la plage.

La trousse de santé

Une petite trousse de santé permet d'éviter bien des désagréments. Il est bon de la préparer avec soin avant de quitter la maison. Veillez à emporter une quantité suffisante de tous les médicaments que vous prenez habituellement ainsi qu'une ordonnance valide pour le cas où vous les perdriez. Il peut, en effet, être malaisé de trouver certains médicaments dans les petites villes de la République dominicaine. Les autres médicaments tels que ceux contre la malaria et l'Imodium (ou un équivalent) devraient également être achetés avant le départ. De plus, n'oubliez pas d'emporter des pansements adhésifs, des désinfectants, des analgésiques, des antihistaminiques, du liquide pour verres de contact et une paire de lunettes supplémentaire si vous en portez, ainsi que des comprimés contre les maux d'estomac. Ils peuvent tous être achetés en République dominicaine, mais il peut parfois être malaisé de

les trouver, surtout dans les villages reculés.

Le climat

On distingue deux saisons en République dominicaine, soit la saison fraîche, qui s'étend de novembre à avril, et la saison des pluies, de mai à octobre. La saison fraîche est la plus agréable, car la chaleur y est moins étouffante, l'humidité réduite, et les pluies s'avèrent plus rares. À cette époque de l'année, on enregistre des températures moyennes de 29°C le jour et de 19°C la nuit. On peut tout de même voyager durant la saison des pluies, puisque les averses, bien qu'elles s'avèrent abondantes, sont brèves. Du mois de mai à la mi-juin, les averses sont plus fréquentes mais généralement de courtes durées. Durant la saison des pluies, il faut s'attendre à des températures moyennes de 31°C le jour et de 22°C la nuit. C'est aussi durant cette saison que se produisent généralement les ouragans. Les heures d'ensoleillement demeurent à peu près les mêmes tout le long de l'année.

La préparation des valises

Le type de vêtements à emporter varie peu d'une saison à l'autre. D'une manière générale, les vêtements de coton et de lin, amples et confortables, sont les plus appréciés dans ce pays. Pour les balades en ville, il est préférable de porter des chaussures fermées couvrant bien les pieds, car elles protègent mieux des blessures qui risqueraient de s'infecter.

Pour les soirées fraîches, un chemisier ou un gilet à manches longues peuvent être utiles. N'oubliez pas d'apporter des sandales de caoutchouc à la plage. Durant la saison des pluies, un petit parapluie s'avérera fort utile pour se protéger des ondées. Pour visiter certains sites, il est nécessaire de porter une jupe couvrant les genoux ou un pantalon. En prévision de certaines sorties, il est bon d'emporter des vêtements plus chics, puisque bon nombre d'endroits exigent le port d'une tenue vestimentaire soignée. Enfin, si vous prévoyez une randonnée dans les montagnes, emportez de bonnes chaussures et un gilet.

La sécurité

La République dominicaine n'est pas un pays dangereux, mais il y a des risques de vol, particulièrement dans les villages touristiques et à Santo Domingo. N'oubliez pas qu'aux yeux de la majorité des habitants vous détenez des biens (appareil photo, valises de cuir, caméscope, bijoux...) qui représentent beaucoup d'argent, le salaire minimum mensuel étant de 3 800 pesos *(250$)*. Une certaine prudence peut donc éviter bien des problèmes. Aussi avez-vous tout intérêt à ne porter que peu ou pas de bijoux, à garder vos appareils électroniques dans un sac discret que vous garderez en bandoulière et à ne pas sortir tous vos billets de banque quand vous achetez quelque chose. Le soir, redoublez de prudence et ne vous aventurez pas dans des rues peu éclairées, particulièrement si vous êtes accompagné d'inconnus. Enfin, certains quartiers de Santo Domingo sont à éviter, particulièrement le soir. Ne partez pas à l'aventure sans vous être renseigné au préalable. Parmi les quartiers à éviter dans la capitale : les abords du pont Duarte et le quartier derrière la rue Mella.

Renseignements généraux

Une ceinture de voyage vous permettra de dissimuler sous vos vêtements une partie de votre argent, vos chèques de voyage et votre passeport. Dans l'éventualité où vous vous feriez voler vos valises, vous conserverez les documents et l'argent nécessaire pour vous dépanner. N'oubliez pas que moins vous attirez l'attention, moins vous courez le risque de vous faire voler.

Si vous apportez vos objets de valeur à la plage, il vous est fortement conseillé de les garder à l'œil. La plupart des hôtels sont munis de petits coffrets de sûreté dans lesquels vous pouvez placer vos objets de valeur.

Il existe maintenant un service policier (Policia Turística, Politur) ayant pour mandat exclusif de répondre aux problèmes et aux plaintes des touristes. En cas de besoin, vous pouvez signaler le ☎911.

Les transports

Les distances sont parfois longues en République dominicaine. De grands travaux d'infrastructure ont été effectués afin d'améliorer plusieurs routes du pays. Ainsi l'autoroute entre Puerto Plata et Santo Domingo a maintenant deux voies de chaque coté

sur presque toute sa longueur, ce qui a permis de diminuer de beaucoup les risques d'accident. Il demeure plusieurs routes à deux voies, qui traversent de petits villages où vous devrez ralentir et être très vigilant. En outre, l'état de certaines petites routes empêche de rouler à plus de 40 km/h. Aussi est-il important de bien planifier son itinéraire.

L'automobile

Vous pouvez facilement louer une voiture en République dominicaine. La plupart des grandes firmes de location y ont des bureaux. Il faut prévoir en moyenne 50$ par jour (aucune limite sur le kilométrage) pour une petite voiture, sans compter les assurances et les taxes. Sachez qu'en général vous obtiendrez un meilleur tarif en réservant à l'avance auprès de la centrale de réservation mondiale. Prenez soin de prendre avec vous la confirmation du tarif alors proposé (numéro de réservation). En outre, il faut avoir au moins 25 ans pour louer une automobile et possèder une carte de crédit.

Choisissez une voiture en bon état, de préférence neuve. Quelques firmes locales demandent des prix moins élevés, mais leurs véhicules sont souvent en mauvais état, et elles offrent un service bien relatif en cas de panne. Avant de partir à l'aventure, prenez donc soin de bien la choisir.

Au moment de la location, il est fortement recommandé de prendre une assurance automobile couvrant bien tous les frais que peut entraîner un accident. Une franchise d'environ 700$ est généralement prévue. Avant de signer un contrat de location, veillez à ce que les modalités de paiement soient clairement définies. Enfin, sachez que, lors de la signature du contrat, votre carte de crédit devra couvrir les frais de location et le montant de la franchise de l'assurance. Certaines cartes de crédit vous assurent automatiquement, mais vérifiez que la couverture offerte soit bien complète.

Un permis de conduire valide de votre pays est accepté.

Le code de la route et la conduite automobile

Les autoroutes et les routes principales sont généralement en bon état et bien revêtues. En outre, même si elles n'ont pas de voies d'accotement, on peut y rouler à bonne vitesse. On

rencontre tout de même, çà et là, des trous dans la chaussée.

Voyager sur les routes secondaires demeure par contre une entreprise d'un tout autre ordre. Elles sont souvent couvertes de pierraille, quelques-unes sont revêtues et la plupart sont parsemées de trous de toutes tailles. On y circule donc lentement. De plus, bon nombre d'animaux les sillonnent en tout temps (en particulier les chiens et les poules), vous obligeant parfois à freiner brusquement. Par ailleurs, le long de ces routes se trouvent de petits villages que vous devrez traverser en prenant garde au nombreux piétons. Si vous désirez vous éviter bien des ennuis, vous devrez faire preuve d'une vigilance de tous les instants.

Des «dos d'âne» ont été placés dans les villes afin de ralentir les automobilistes; malheureusement, ils sont fort mal signalés. Vous les retrouverez généralement à l'entrée des agglomérations et en face des casernes militaires.

Les panneaux de signalisation routière sont également peu nombreux (peu d'indications de limite de vitesse, d'arrêts et d'accès ou non au passage). Veillez tout de même à respecter les règles de conduite élémentaires : ralentissez aux intersections et ne dépassez pas la limite de vitesse de 80km/h. Il est d'autant plus important de conduire prudemment que les Dominicains roulent vite et sont souvent peu soucieux de ces règles. De plus, nombre d'entre eux ne surveillent jamais leur angle mort, et rares sont les voitures munies de clignotants. Il vous faudra en outre prendre garde aux motocyclistes, nombreux et imprudents.

Enfin, l'expérience la plus traumatisante sera sans doute celle des dépassements, qui sont, pour certains, un véritable «sport». En effet, pour les effectuer (les routes n'ont pratiquement jamais de voies de dépassement), vous devrez emprunter la voie réservée aux véhicules circulant en sens inverse. Certains automobilistes doublent alors à vive allure, en faisant peu de cas des autres voitures... Une expérience qui n'est pas toujours de tout repos.

Bien qu'une amélioration notoire ait été apportée à la signalisation routière, ces panneaux sont encore insuffisants en de nombreux endroits. Aussi, pour retrouver son chemin, il n'existe parfois pas d'autre moyen que de s'informer auprès des gens du village, qui répondent généralement avec beaucoup d'empressement.

Du fait du manque d'éclairage et du manque de balisage des routes dominicaines, il est fortement recommandé d'éviter de conduire la nuit. D'autant plus que, si vous tombiez en panne, vous vous retrouveriez bien seul. Si vous avez à conduire la nuit, sachez que les risques de vol augmentent; aussi est-il recommandé de ne jamais prendre de personnes faisant de l'auto-stop ou d'arrêter sur le bord de la route. Assurez-vous par ailleurs que vos portières soient toujours verrouillées.

La vitesse maximale est de 80 km/h sur les autoroutes, de 60 km/h près des villes et de 40 km/h à l'intérieur des villes.

Les accidents

En cas d'accident, les policiers seront appelés sur les lieux pour rendre compte des dommages. Lorsqu'il y a des blessés, toute personne témoin de l'accident devient un «témoin principal». Au moment de l'enquête judiciaire, le témoignage de ce dernier est capital. Aussi peut-il arriver que le témoin principal d'un accident soit détenu en prison, le temps que les autorités prennent sa déposition. Ces démarches peu-

Kiosque à fruits où il se vend de la noix de coco en abondance.
- *Claude Hervé-Bazin*

Peinture dominicaine représentant la vie quotidienne
- *Dugast*

Les champs de canne à sucre à perte de vue...
- *Stéphane G. Marceau*

vent prendre jusqu'à
48 heures. Bien que cela
arrive fort rarement, si vous
êtes impliqué dans une telle
histoire, ne vous inquiétez
pas, vous n'avez qu'à être
patient.

Le long de la route, dans
les petits villages, même en
étant prudent, tout automobiliste peut blesser un animal (les poules semblent
être attirées par les voitures
en marche!). Les habitants
pouvant parfois faire
preuve d'agressivité face à
l'automobiliste fautif, il est
sage de ne pas s'arrêter sur
les lieux de l'accident. Il est
préférable de se rendre
directement au poste de
police le plus près.

La police

Le long de l'autoroute, les
policiers sont postés pour
surveiller les automobilistes.
Ils détiennent le pouvoir
d'arrêter toute personne qui
commet une infraction au
code de la sécurité routière,
ou de simplement vérifier
les papiers du conducteur.
Les policiers ont désormais
pour consigne de ne pas
ennuyer les touristes, mais
il arrive encore que certains
tentent de vous demander
des pesos. Si vous êtes certain de n'avoir commis aucune infraction, il n'y pas
de raison de verser quoi
que ce soit. Parfois, ils vous
immobiliseront le long de la
route, le temps de vérifier

vos papiers. En règle générale, ils sont serviables et, si
vous avez des problèmes
sur la route, ils vous aideront.

L'essence

On trouve des postes
d'essence partout au pays.
Le prix de l'essence est
assez bas. La plupart des
stations-service sont ouvertes jusqu'à 22h, et certaines
le sont en tout temps. De
plus en plus de stations
acceptent les cartes de crédit.

L'avion

La compagnie aérienne **Air
Santo Domingo** (☎683-8020)
assure des liaisons entre les
principales villes du pays.
Depuis Santo Domingo, des
vols quotidiens permettent
de relier Puerto Plata, Punta
Cana et El Portillo
(*Samaná*).
Depuis Punta Cana, des
vols quotidiens rejoignent à
Santo Domingo, Puerto
Plata, El Portillo (*Samaná*)
et La Romana.
De Puerto Plata, on peut se
rendre à Santo Domingo,
Punta Cana, El Portillo
(*Samaná*) et La Romana.
D'El Portillo (*Samaná*), des
liaisons quotidiennes per-
mettent d'aller à Santo
Domingo, Puerto Plata et
Punta Cana.

De La Romana, on peut gagner Puerto Plata et Punta Cana.

La location de motos ou de scooters

Dans la plupart des lieux de villégiature, il est possible de louer une motocyclette moyennant de 30$ à 40$ par jour de location. On exigera que vous laissiez en dépôt votre passeport (ou une pièce d'identité valide) et souvent même votre billet d'avion. N'oubliez pas que la conduite doit être prudente, car, bien que les motocyclistes soient fort nombreux au pays, les automobilistes n'y font pas toujours attention.

Assurez-vous toujours de vous entendre sur le prix et sur toutes les conditions de paiement avant de partir avec le véhicule loué.

Les motos-taxis

Dans la plupart des villes, les motocyclistes proposent aux piétons leurs services. Il s'agit d'une solution économique et rapide pour parcourir de courtes distances. Le confort et la sécurité y étant rudimentaires, évitez cependant les longues promenades et les autoroutes. Il faut négocier le prix avant de partir. On peut

compter faire quelques kilomètres pour 10 pesos.

Le taxi

Des services de taxi sont proposés dans tous les lieux de villégiature et les villes de taille moyenne. Les voitures sont souvent très vieilles, mais elles vous mèneront à bon port. Dans la majorité des cas, les prix, quoique assez élevés, sont indiqués sur un panneau à la station de taxis (les prix sont d'ailleurs semblables d'une ville à l'autre). Entendez-vous clairement sur ce qu'inclut le montant de la course avant de partir, et ne payez qu'à la fin.

Les taxis collectifs

Il existe des taxis collectifs offrant l'avantage de répartir le coût d'une course entre tous les occupants de la voiture, même si la destination de chaque personne varie. Ces taxis effectuent des trajets dans les villes et entre celles-ci. Ils sont souvent en piteux état (en particulier à Santo Domingo), mais tout de même plus confortables que les autobus. On peut les identifier à leur plaque d'immatriculation portant la mention *público*.

L'autobus public (*guagua*)

Les autobus publics, appelés *guaguas* par les Dominicains (prononcez «oua-oua») sillonnent toutes les routes de l'île. Ils constituent donc un moyen efficace pour se déplacer partout dans l'île. Pour en prendre un, il suffit de se rendre aux gares d'autobus des villes (les gares sont souvent situées près des parcs centraux) ou d'en arrêter un sur le bord de la route en faisant un signe de la main. Ces autobus s'arrêtent fréquemment, sont souvent bondés et offrent un confort très rudimentaire. Il s'agit cependant du moyen de transport le moins coûteux de l'île.

L'autocar

Deux compagnies d'autocars sillonnent les routes de l'île. Il s'agit de Metro Bus et de Caribe Tours. Bien qu'ils soient vétustes, ces autocars sont climatisés et assez confortables. Les arrêts le long de la route sont peu nombreux, et les distances sont donc parcourues assez vite. Le prix des sièges est un peu plus élevé que celui des *guaguas*, mais, pour les longues distances, vous

sauverez du temps.

L'auto-stop

Il est possible de se déplacer en faisant de l'auto-stop. Les gens sont gentils et aiment converser avec les étrangers. Un minimum de prudence s'impose toutefois, en particulier pour les femmes voyageant seules.

Les services financiers

La monnaie

La monnaie du pays est le peso. Elle circule en billets de 100, 50, 20, 10 et 5 pesos et en pièces de 1 peso et de 50, 25 et 5 centavos (100 centavos = 1 peso).

Les banques

Les banques sont ouvertes du lundi au vendredi de 8h30 à 15h. On en trouve dans toutes les villes de grande ou de moyenne taille. La majorité d'entre elles changent le dollar US; moins nombreuses sont celles qui changent les autres devises étrangères. Dans certains petits villages et les jours de fête, vous ne pourrez changer votre argent, soyez donc prévoyant.

Il est aisément possible d'obtenir des avances de fond à partir des cartes de crédit Visa et MasterCard. La plupart des grandes banques du pays offrent ce service. Vous pourrez également retirer de l'argent des guichets automatiques, que l'on trouve essentiellement à Santo Domingo et dans quelques grandes villes.

Les dollars US

Il est toujours mieux de voyager avec des dollars ou des chèques de voyage en dollars américains, car, en plus d'être faciles à changer, ils bénéficient d'un meilleur taux.

Le change

Il est interdit de changer de l'argent dans la rue. Dans certaines villes, des gens vous offriront d'échanger vos dollars, mais il est plus prudent de vous rendre dans un endroit autorisé, d'autant plus que les taux ne varient guère.

Les chèques de voyage

Il est toujours plus prudent de garder la majeure partie de votre argent en chèques de voyage plutôt qu'en espèces. Ceux-ci sont parfois acceptés dans les restaurants, les hôtels ainsi que certaines boutiques (s'ils sont en dollars US ou en pesos). En outre, ils sont facilement changeables dans les banques et les bureaux de change du pays. Il est conseillé de garder une copie des numéros de vos chèques dans un endroit à part, car, si vous les perdez, la compagnie émettrice pourra vous les remplacer plus facilement et plus rapidement. Cependant, ne comptez pas seulement sur eux et ayez toujours des espèces sur vous.

Les cartes de crédit

La majorité des cartes de crédit, et en particulier les cartes Visa (Carte Bleue) et MasterCard, sont acceptées dans bon nombre de commerces. Cependant, ne comptez pas seulement sur elles, car plusieurs petits commerçants les refusent. Encore une fois, même si vous avez des chèques de voyage et une carte de crédit, veillez à toujours avoir des espèces sur vous.

Lorsque vous payez avec votre carte de crédit, vérifiez toujours vos bordereaux, car il arrive à l'occasion que les bordereaux, au lieu d'indiquer

«RDS» (abréviation pour le peso), indiquent «US». Si cela vous arrivait, veiller à faire remplacer l'abréviation «US» par «RDS».

Les télécommunications

La poste

On trouve des bureaux de poste dans chaque ville. Certains hôtels proposent aussi un service efficace d'envois postaux. Quel que soit l'endroit où vous postez votre lettre, dites-vous bien qu'elle prendra beaucoup de temps avant d'arriver chez le destinataire, car le service postal est relativement peu efficace. Si votre envoi est urgent, utilisez plutôt la télécopie (le fax) en allant au Codetel. Les timbres sont vendus dans les bureaux de poste et dans quelques commerces.

Le téléphone et la télécopie (le fax)

Les appels internationaux peuvent être effectués depuis les grands hôtels ou aux centres **Codetel** qu'on retrouve dans toutes les villes. De ces postes, il est très facile de téléphoner à l'étranger. Il est plus simple de téléphoner directement,

mais on peut également faire des appels à frais virés (PCV). Nul besoin de faire provision de petite monnaie, puisque la durée des appels est enregistrée sur ordinateur et que vous payez au comptoir. Ces centres offrent aussi un système efficace de télécopie (fax). Il est possible de payer par carte de crédit.

L'indicatif régional est le même partout au pays, il s'agit du **809**. Pour téléphoner à l'extérieur du pays, le personnel du centre vous expliquera, en espagnol ou parfois dans un anglais maladroit, les démarches à suivre.

Les services d'un téléphoniste de votre pays

Si vous désirez les services d'un téléphoniste de votre pays, communiquez avec :

Belgique Direct (Calling Card), faites le **800-751-9001** + un numéro d'identification personnel (soit votre numéro de téléphone) + votre code de confidentialité + préfixe de la ville + le numéro du correspondant. Après chaque introduction de données, terminez par la touche #.

Renseignements généraux

Canada Direct
☎ *800-333-0111*

France Direct
☎ *800-751-0600*

Pour téléphoner dans votre pays

Pour appeler au Canada, il suffit de faire le *1*, puis l'indicatif régional et le numéro du correspondant.

Pour appeler en France, faites le *011*, puis le *33* et le numéro du correspondant en omettant le premier 0.

Pour la Belgique, faites le *011*, puis le *32* et le numéro du correspondant.

Pour la Suisse, faites le *011*, puis le *41* et le numéro du correspondant.

D'autre part, il est à noter que les numéros sans frais *800* et *888* mentionnés dans ce guide ne sont accessibles que de l'Amérique du Nord.

Divers

Service de guides

Près des centres touristiques, bon nombre de personnes se débrouillant parfois en anglais, parfois en français, se prétendent guides touristiques. Certains en ont sans doute la capacité, mais nombreux sont ceux qui ont très peu de compétence en la matière. Méfiez-vous donc. Si vous désirez retenir les services d'une telle personne, renseignez-vous bien sur ses compétences. Ces guides ne travaillent pas gratuitement et exigent parfois des sommes d'argent importantes. Avant de partir, entendez-vous clairement sur les services correspondant au montant d'argent réclamé, et ne payez qu'à la fin.

Taxes

Le gouvernement dominicain prélève une taxe sur les notes d'hôtel (voir p 125) et une autre sur les additions de restaurant (voir ci-dessus). Généralement, le montant des taxes est clairement indiqué sur les factures.

Pourboire

Pour récompenser un service, il est convenu de donner un pourboire. Au restaurant, le total de l'addition inclut 10% pour le service. En plus de cette somme, un pourboire de 10 à 15% du total de l'addition devrait être laissé, selon la qualité du service, bien sûr.

Fumeurs

Il n'existe aucune restriction à l'intention des fumeurs. Les cigarettes sont très peu chères, et il est possible de fumer dans tous les endroits publics.

Jours fériés

Les jours fériés, toutes les banques et plusieurs commerces ferment. Prévoyez donc changer votre argent, et achetez vos souvenirs la veille, car, durant ces festivités, le pays semble fonctionner au ralenti.

1er janvier
le jour de l'An

6 janvier
l'Épiphanie

21 janvier
la fête de Notre-Dame de Altagracia

26 janvier
l'anniversaire de naissance de J.P. Duarte

Variable
Mardi gras

27 février
la fête de l'Indépendance

Variable
le Vendredi saint

1er mai
la fête du Travail

Variable
Corpus Christi

16 août
le jour de la Restauration de la République

24 septembre
la fête de Notre-Dame de-la-Merci

6 novembre
jour de la Constitution

25 décembre
le jour de Noël

Électricité

Tout comme en Amérique du Nord, les prises électriques sont plates et donnent un courant alternatif à une tension de 110 volts (60 cycles). Les Européens désirant utiliser leurs appareils électriques devront donc se munir d'un adaptateur et d'un convertisseur de tension.

Femme voyageant seule

Une femme voyageant seule dans ce pays ne devrait pas connaître de problèmes. Dans l'ensemble, les gens sont gentils et peu agressifs. En général, les hommes sont respectueux des femmes, et le harcèlement est relativement peu fréquent, même si les Dominicains aiment bien draguer et que vous entendrez certainement des *pssst* à votre passage (l'équivalent d'un sifflement). Quelques trucs peuvent vous éviter des rencontres inopportunes : évitez de regarder les hommes dans les yeux, restez indifférentes aux commentaires qui vous sont faits et ne marchez jamais seule le soir dans les rues mal éclairées.

Vie gay

La situation des homosexuels en République dominicaine aujourd'hui semble ni pire ni meilleure que dans les autres pays latino-américains. Les gays sont toujours victimes d'une certaine forme de répression qui trouve sa source, dorénavant, davantage dans le poids des vieilles valeurs familiales et machistes, et de la religion que dans le pouvoir politique. Le *machismo*, cette idéologie de la supériorité du mâle, demeure bien vivant, et son obsession à figer les gens dans des comportements stéréotypés basés sur le sexe contribue plus que tout à l'oppression des homosexuels, de même qu'il maintient les femmes dans leur rôle traditionnel.

Prostitution

Véritable fléau en République dominicaine, la prostitution a connu un développement sans précédent dans les années quatre-vingt, à la suite de l'avènement du tourisme de masse. Qu'il s'agisse de prostitution féminine ou masculine, elle est présente dans le moindre petit village un tant soit peu touristique.

Dans certaines localités, notamment Boca Chica et Sosúa, elle avait pris tant d'ampleur qu'elle était devenue incommodante pour les commerçants. D'ailleurs, à la fin de l'année 1996, afin de mettre un peu d'ordre à Sosúa, les autorités dominicaines ont dû intervenir pour faire cesser la prostitution, devenue trop florissante, et fermer bon nombre de bars.

Décalage horaire

En hiver, l'heure dominicaine est en avance d'une heure sur l'heure québécoise, mais elle est en retard de cinq heures sur l'heure de l'Europe de l'Ouest. En été, il n'y a pas de décalage avec le Québec, et il est six heures plus tôt qu'en Europe de l'Ouest.

Poids et mesures

Le système officiellement en vigueur est le système métrique. Cependant, les commerçants utilisent fréquemment le système impérial. Voici une petite table de conversion utile:

1 livre = 454 grammes

1 pied = 30 centimètres

1 mille = 1,6 kilomètre

La Semana Santa

Durant les journées précédant la fête de Pâques, plusieurs festivités religieuses sont organisées pour souligner ce moment important pour les catholiques du pays. Ainsi, le Jeudi saint, plusieurs fidèles en profitent pour visiter les églises du pays et se recueillir.

Le Vendredi saint, la fête est à son comble et nombre de villes et villages organisent des processions à travers les rues. Ces journées de congé sont également l'occasion pour plusieurs Dominicains de voyager à travers le pays, et il est fréquent que les hôtels soient pleins.

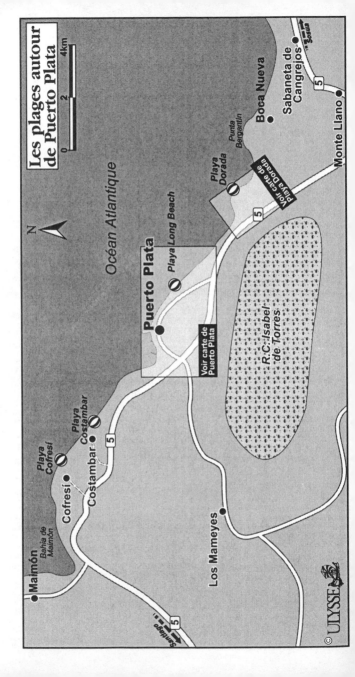

Les plages autour de Puerto Plata

Plein air

Rien n'a été négligé pour faire de la région de la côte Atlantique un important centre d'activités de plein air.

C'est d'ailleurs l'un des grands avantages de cette région du pays, car on peut y pratiquer la plupart des sports nautiques ou s'adonner à bien d'autres activités sportives, que ce soit le golf, l'équitation, le vélo, le tennis, etc.

Les parcs nationaux

Les beautés naturelles de la République dominicaine sont protégées grâce à la création de parcs nationaux et de réserves scientifiques. On en trouve dans tous les coins du pays, et chacun protège un environnement naturel bien particulier.

De plus en plus, un effort est fait pour permettre aux visiteurs de découvrir les parcs, mais ils ne sont pas tous faciles d'accès. Des parcs, comme le parc Los Haïtises, près de Samaná, et le parc Armando Bermúdez, autour du Pico Duarte, commencent à s'ouvrir aux visiteurs, et des entreprises

y organisent des excursions (elles vendent alors les permis nécessaires).

Mais d'autres parcs, situés plus loin des villages touristiques, demeurent relativement fermés et pratiquement rien n'y est organisé. Ces derniers parcs sont d'autant plus difficiles à visiter qu'ils possèdent peu ou pas de sentiers balisés; il faut donc être très prudent si l'on décide de partir seul à la conquête de ces espaces sauvages.

En outre, pour pénétrer dans ces parcs, il est théoriquement nécessaire d'avoir un permis émis par le **Service des parcs** *(Santo Domingo;* ☎*221-5340)*.

Il est possible de se procurer le permis sur place, mais l'organisation est souvent déficiente et il n'est pas toujours aisé de trouver le responsable. Sachez cependant que les parcs ne sont pas tous bien surveillés.

La côte nord du pays compte quatre parcs nationaux:

Il est relativement aisé de partir à la découverte du **Parque Nacional Los Haïtises**, situé au sud de la péninsule de Samaná, nombre d'excursions y étant organisées. Il permet de découvrir la végétation surprenante de la mangrove, une vie animale diversifiée ainsi que des cavernes ornées de dessins précolombiens.

Près de Puerto Plata, se dresse le **Pico Isabel de Torres**, dont les flancs ont été protégés par la création du Parque Nacional Isabel de Torres. Son sommet était jadis facilement accessible

par un téléphérique, qui est aujourd'hui hors d'usage.

Le **Banco de la Plata** est en fait une vaste zone marine protégée par des récifs de corail, au nord de Puerto Plata. C'est dans ces eaux paisibles que, chaque année, les baleines à bosse choisissent de venir se reproduire. C'est pour assurer la survie de ces mammifères marins qu'un parc a été créé, le Parque Nacional Banco de la Plata. Cette région étant dangereuse pour la navigation, on y accède difficilement.

Le **Parque Nacional de Monte Cristi** comprend une large portion des terres voisines de Monte Cristi qui s'étendent jusqu'aux frontières haïtiennes, une partie de la côte, ainsi que sept îlots, les Cayes Siete Hermanos. Jadis très fréquenté par les tortues marines, le parc en compte de moins en moins, ces reptiles ayant été trop chassés.

Dans le centre montagneux du pays, deux parcs nationaux et une réserve scientifique ont été créés:

Le **Parque Nacional Armando Bermúdez** englobe pas moins de 766 km² du nord de la cordillère Centrale, où se trouve le plus haut sommet des Caraïbes, le Pico Duarte, qui s'élève à 3 090 m d'altitude. Il s'ouvre peu à peu aux visiteurs, qui y trouvent l'occasion d'une belle et parfois difficile marche en montagne.

Le **Parque Nacional Carmen José del Carmen Ramírez**, limitrophe du Parque Nacional Armando Bermúdez, s'étend sur 764 km² et couvre la région sud de la cordillère Centrale. Tout comme son voisin, il n'est traversé par aucune route, et seuls les randonneurs peuvent le parcourir.

La **Reserva Científica Valle Nuevo** protège une végétation bien particulière, composée de nombreuses essences d'arbres que l'on rencontre généralement dans les pays plus nordiques. Parmi ces arbres, mentionnons une grande variété de conifères. À certains moments de l'année, la température peut y être rigoureuse.

Les autres parcs et réserves du pays ne sont pas l'objet du présent ouvrage.

Activités de plein air

Baignade

La côte nord de la République dominicaine est ponctuée de longues plages de sable blond, toutes plus belles les unes que les autres et idéales pour la baignade et parfaites pour l'amateur de farniente. Sachez cependant que les courants marins sont parfois forts et qu'il faut y prendre garde. Lorsque vous sentez que les vagues sont trop fortes, ne vous aventurez pas trop loin. En outre, ne vous baignez pas en solitaire si vous ne connaissez pas la force des courants marins.

De plus en plus d'efforts sont entrepris par les autorités locales pour sensibiliser les gens à l'importance de la propreté des plages, particulièrement celles de la côte nord; respectez leur environnement naturel.

Il est rare que l'on soit vraiment seul sur une plage dominicaine. Les belles plages sont souvent prises

Plein air

d'assaut par les visiteurs et, afin de répondre au moindre de leurs besoins, quantité de vendeurs ambulants viennent proposer leurs produits : jus, fruits, vêtements de plage et souvenirs de toutes sortes. De manière générale, si vous n'êtes pas intéressé, un simple *«no, gracias»* suffit. Bien sûr, si ces vendeurs remarquent que vous regardez la marchandise de l'un d'entre eux, ils prendront pour acquis que vous êtes un client potentiel et viendront à tour de rôle vous proposer leurs marchandises. Si vous souhaitez acheter, entendez-vous sur le prix avant de payer.

Il est possible de louer une chaise et un parasol sur presque toutes les plages près des villages touristiques; comptez en moyenne 20 pesos par jour pour chaque objet.

En République dominicaine, une plage ne peut être privée. Il est toutefois fréquent qu'un complexe hôtelier soit construit en bordure de mer; sachez qu'il vous est alors possible de vous y allonger, mais vous ne devrez pas utiliser les installations mises à la disposition exclusive des clients de l'hôtel. Ces plages ont l'avantage d'être exemptes de marchands ambulants et sont souvent mieux entretenues que les autres.

Voici une courte description de quelques-uns de ces longs croissant de sable blond:

La façade de **Puerto Plata** est bordée par **Long Beach**, qui s'étend sur plusieurs kilomètres. Cette plage de sable est toutefois très mal aménagée et située trop près de la route pour en faire un endroit agréable pour la baignade.

Une des premières plages que l'on croise à l'ouest de Puerto Plata, la **plage de Costambar** a l'avantage d'être relativement peu fréquentée en semaine. La situation est tout autre la fin de semaine, alors qu'elle est prise d'assaut par les habitants de la ville venus profiter de la mer et de cette étroite bande de sable longue de quelques centaines de mètres.

Bordée par les bâtiments hôteliers d'Hacienda Resorts, la **Playa Cofresí** ★ est essentiellement fréquentée par les vacanciers qui logent dans l'un de ces établissements. Ils profitent alors d'une belle bande de sable blanc, d'installations confortables et d'une mer invitante.

Longue bande de sable blond, bordée de palmiers et ponctuée de chaises et de parasols, la **Playa Dorada** ★ est caressée par des flots toujours calmes, parfaits pour une baignade paisible. La plage longe en bonne partie de grands hôtels de cette populaire station balnéaire; on est donc jamais très loin d'une terrasse pour prendre un verre ou manger une bouchée. En hiver, lorsque les chambres des hôtels sont toutes louées, il arrive que la plage puisse sembler un peu bondée. La plus belle partie de la plage se trouve à l'ouest, en face du Jack Tar Village. Les vagues y sont également plus fortes.

La **plage de Puerto Chiquito**, à proximité de Sosúa, se présente comme une longue bande de sable blanc coupée en son centre par la rivière Sosúa. Les eaux de la baie y sont calmes et les paysages avoisinants, fort jolis, la plage étant bordée de chaque côté par de petites falaises. Malheureusement, les eaux de la baie sont souvent polluées, rendant la baignade moins invitante.

On trouve à **Sosúa** deux plages principales: la **Playa Sosúa** ★ et la **Playa Libre**. La Playa Sosúa, une belle plage de sable fin d'environ 1 km de long, donne sur les eaux cristallines de la baie. Le cadre est très joli, mais ce n'est vraiment pas un endroit pour se reposer, Playa Sosúa étant toujours bondée de touristes et de commerçants. On y a d'ailleurs construit, sur toute la longueur, des échoppes de souvenirs, de petits restaurants et des bars. L'endroit est bruyant et les vendeurs sont parfois insistants. Dommage, puisqu'il s'agit de l'une des belles plages de la côte. On peut également se baigner à la **Playa Libre** (*quartier El Batey*). Cette petite plage, bordée d'hôtels de qualité, est plus calme et les vendeurs y sont moins présents. On trouve également, moins de 1 km plus à l'est, de petites bandes de sable entourées d'eau où l'on peut se baigner.

Quelques kilomètres avant d'arriver à Cabarete, on peut apercevoir sur la gauche un panneau indicateur pour la **plage de Punta Goleta**. Cette belle plage de sable doux, peu fréquentée et bordée de quelques hôtels seulement, plaira aux amateurs de sites paisibles.

Les personnes recherchant avant tout les longues plages, parfois caressées par de belles vagues, seront comblées à la **plage de Cabarete ★★**. À côté du village, une foule de vacanciers y prennent souvent d'assaut les chaises et les parasols mis à leur disposition; mais, en marchant un peu, il est possible de se trouver un coin de sable plus tranquille.

Longue de 3 km, cette plage plaira en outre à ceux et celles qui aiment les longues promenades. Les vagues y sont parfois assez hautes, particulièrement en après-midi, et la pratique de la planche à voile y est très populaire. Des restaurants et des terrasses se trouvent à proximité, et des vendeurs ambulants circulent sur la plage en proposant leurs produits.

Le bord de mer de **Río San Juan** compte quelques plages. Celles à proximité de l'hôtel Bahía Blanca sont belles et équipées de douches. On peut également découvrir de petits bouts de plages sauvages et désertes près de la lagune Gri-Gri. Aussi, à environ 2 km à l'est de Río San Juan, vous verrez un panneau indicateur signalant la **Playa Caletón**.

À partir du petit stationnement le long de la route, vous ne serez qu'à environ 10 min de marche de la plage. On peut également s'y rendre en barque à partir de la lagune Gri-Gri. La Playa Carletón est une jolie petite plage de sable aux eaux calmes et turquoise. Quelques vendeurs circulent sur la plage pour vous proposer diverses victuailles.

Comptant parmi les plages les plus spectaculaires du pays, la **Playa Grande ★★★** étonne à la fois par la longueur et la largeur de sa bande de sable fin. Bordée d'une rangée de cocotiers, la Playa Grande s'étend sur quelque 2 km. Malgré les vagues qui sont parfois assez hautes, c'est un excellent endroit pour se baigner. Le complexe hôtelier Caribbean Village a été construit en bordure, du côté ouest. Ses concepteurs ont eu la bonne idée de ne pas ériger le complexe à même la plage pour ne pas briser l'harmonie du paysage. Un petit resto-bar réservé aux clients du Caribbean Village a toutefois été bâti sur la plage. Si vous ne logez pas à ce complexe, sachez que des commerçants louent des chaises et servent de la nourriture et des rafraîchissements.

Sur la Route des palmiers, de Cabrera à Nagua, la côte est ponctuée de **plages sauvages**. Il est possible de s'y baigner. Cependant, soyez prudent car les courants peuvent être très forts et pourraient vous emporter au large.

Navigation

Les excursions en voilier ou en bateau à fond de verre sont une belle occasion de voguer librement sur les flots cristallins de la mer. Certains centres organisent des excursions; d'autres, s'adressant aux navigateurs plus expérimentés, louent des voiliers.

Playa Dorada

La plupart des complexes hôteliers de Playa Dorada mettent de petits voiliers, voire des catamarans, à la disposition des vacanciers, leur permettant d'aller voguer sur les eaux de la baie.

Chaque jour, à partir de la Playa Dorada, s'organisent des excursions jusqu'à Sosúa à bord d'un catamaran, le *FreeStyle*, qui peut accueillir jusqu'à 35 personnes. La balade dure toute la journée et comprend le repas, les boissons ainsi

que l'occasion de faire une belle baignade ou de la plongée-tuba. Certains jours, il est même possible d'apercevoir des dauphins.

Sosúa

Confortablement installé à bord du **Glass Bottom Boat** *(départ de la plage, 9h à 17h)*, vous pourrez explorer les fonds marins sans pour autant devoir vous initier à la plongée. Cette balade en mer de 45 min dans un bateau à fond de verre constitue une belle occasion d'apercevoir la myriade de poissons et de coraux qui vivent au large de la Playa Sosúa.

Cabarete

Si l'hôtel où vous logez ne met pas de voiliers à votre disposition, sachez que le **Carib Bic Center** *(50$/h;* ☎*571-0640)* permet de partir sur les flots, tout en étant accompagné d'un instructeur, et ce, à bord de catamarans.

Des kayaks sont également offerts en location à **La Vela** *(8$/h;* ☎*571-0805)*

Planche à voile

Si vous désirez vous adonner à la planche à voile, vous pourrez facilement louer les équipements sur les plages le long de la côte, et particulièrement à Cabarete. Certains centres proposent également des cours. Pour ceux et celles qui n'en ont jamais fait, quelques consignes de sécurité doivent cependant être suivies avant de se lancer à l'assaut des eaux miroitantes : veillez à choisir une plage dont les flots ne sont pas trop agités; ne vous aventurez pas trop près des nageurs; ne vous éloignez pas trop du bord (n'hésitez pas à faire des signes de détresse, si vous en sentez le besoin) et portez des chaussures pour éviter de vous couper les pieds sur les rochers.

Même s'il est possible de faire de la planche à voile dans plusieurs centres touristiques le long de la côte, **Cabarete** est sans conteste l'endroit idéal. C'est d'ailleurs avec raison qu'on surnomme Cabarete la «capitale de la planche à voile», puisqu'il s'agit probablement de l'un des 10 meilleurs endroits du monde pour pratiquer ce sport, avec ses vents forts et

sa baie bien protégée. La majorité des grands hôtels de la côte mettent des planches à voile à la disposition des vacanciers.

Carib Bic Center
☎ *571-0640*
⌨ *571-0649*
www.caribwind.com
Des planches à voile y sont offertes en location au coût de 45$ la demi-journée; il est également possible d'en louer à l'heure ou à la semaine. Tant pour les débutants que pour les véliplanchistes plus chevronnées, des cours sont proposés.

À **La Vela** (☎ *571-0805*, ⌨ *571-0856*) on peut également trouver des planches à voile, qu'on peut louer à l'heure (*20$*), à la demi-journée (*40$*) ou à la semaine (*250$*). Des cours sont également proposés aux véliplanchistes de tout calibre.

Plongée sous-marine

Playa Dorada, Sosúa, Cabarete et Río San Juan constituent les principaux endroits de la côte nord proposant des excursions de plongée sous-marine. Les personnes possédant leur permis de plongée pourront s'en donner à cœur joie et découvrir les secrets des côtes dominicaines. Les autres peuvent aussi descendre sous l'eau, mais doivent le faire accompagnées d'un guide qualifié qui supervisera la descente (à un maximum de 5 m).

Les risques sont minimes, cependant il est fortement recommandé de bien s'assurer de la qualité de la supervision. Il est fort important, avant de descendre pour la première fois, d'avoir au moins eu un cours visant à donner les principes de sécurité de base: comment rétablir la pression dans ses poumons et ses sinus, vider l'eau qui peut s'infiltrer dans le masque, être à l'aise sous l'eau et savoir utiliser l'équipement de plongée. Plusieurs centres proposent ainsi une courte formation d'environ une heure avant d'amener les visiteurs sous les flots. Vous pourrez aisément louer du matériel de plongée dans les différents centres côtiers.

La plongée vous fera découvrir des scènes fascinantes, comme les récifs de corail, les bancs de poissons multicolores ou les surprenantes plantes aquatiques. Souvenez-vous cependant que cet écosystème est fragile et mérite qu'on y prête une attention particulière. Pour protéger ces sites naturels, quelques règles fondamentales doivent être suivies par tout plongeur: ne rien toucher (surtout les oursins, dont les longues aiguilles pourraient vous blesser); ne pas ramasser de corail (il est beaucoup plus joli dans l'eau que hors de l'eau, car il perd alors ses couleurs); ne pas déranger les êtres vivants qui y évoluent; ne pas chasser; ne pas nourrir les poissons; faire bien attention en donnant les coups de palmes pour ne rien accrocher et, bien sûr, ne pas y laisser de déchets. Si vous désirez rapporter des souvenirs de votre plongée, sachez qu'on trouve sur le marché des appareils photo jetables, utilisables sous l'eau.

Quel que soit le centre avec lequel vous partirez en plongée, il y a de fortes chances que vous plongiez au large de Playa Sosúa, qui compte le plus grand nombre de points d'intérêt. Selon vos compétences, vous pourrez vous enfoncer sous l'eau pour observer des récifs de corail, des barrières d'éponges et des formations rocheuses, ou encore explorer des cavernes.

Playa Dorada

Tous les grands hôtels organisent des excursions de plongée, qui sont l'occasion de partir à la conquête des fonds marins.

Sosúa

Si l'envie de descendre sous l'eau vous tenaille, **Northern Coast Diving** *(8 Pedro Clisante; ☎571-1028, ≈571-3883)* est un bon centre pour entreprendre ce genre d'expédition. Que vous plongiez pour la première fois, que vous désiriez obtenir votre certification PADI ou que vous vouliez plonger de nuit, ce centre saura répondre à vos attentes. Comptez environ 55$ pour une plongée de débutant, qui comprend l'initiation en piscine l'avant-midi et la plongée accompagnée en après-midi.

Cabarete

Cabarete possède également son centre de plongée, **Caribbean Divers Cabarete** *(☎571-0218)*, pour lequel travaillent des plongeurs expérimentés parlant le français. Des cours menant à la certification PADI et des plongées de toutes

sortes, tant pour débutants que pour plongeurs chevronnés, y sont organisés. Comptez 55$ pour une plongée de débutant.

Río San Juan

Les instructeurs de **Gri-Gri Divers** *(☎589-2671)* possèdent toutes les compétences nécessaires pour vous assurer des plongées sécuritaires et bien encadrées, que vous plongiez pour la première fois ou que vous possédiez une longue expérience en la matière. Comptez environ 50$ pour une plongée de débutant. Les excursions se font au large de Río San Juan.

Plongée-tuba

Dans toutes les stations balnéaires de la côte, il est possible de louer le matériel nécessaire à la pratique de la plongée-tuba, soit dans les grands hôtels, soit auprès d'entreprises spécialisées. On y propose aussi, dans bien des cas, des excursions permettant de plonger au large. N'oubliez pas que les règles fondamentales pour protéger l'environnement marin (voir les consignes pour la plongée) doivent être également respectées par les amateurs de plongée-tuba.

Sosúa est l'endroit le plus populaire pour ce type d'activité. On peut entre autres louer du matériel ou prendre part à une excursion en mer en s'adressant aux centres suivants:

Sosúa

Northern Coast Diving
8 Pedro Clisante
☎*571-1028*

Cabarete

Caribbean Divers Cabarete
☎*571-0218*

Pêche en haute mer

Les amateurs de pêche en haute mer pourront s'adonner à cette activité, divers centres proposant des excursions de pêche, notamment à partir de Sosúa, de Playa Dorada et de Río San Juan. Selon que vous désiriez pêcher de gros poissons (par exemple, le marlin) ou que vous préfériez pêcher à la ligne, on vous emmènera plus ou moins loin de l'île. Ces excursions durent en moyenne trois heures. À bord, l'équipement et des conseils sont fournis. Bien

que plusieurs reviennent bredouille de ces expéditions, elles sont une agréable occasion de se balader en mer.

Ce n'est pas dans tous les centres touristiques qu'on offre des possibilités de faire de la pêche en haute mer. Sosúa et Playa Dorada servent d'habitude de points de départ pour ce type d'expédition.

Río San Juan

À Río San Juan, deux entreprises organisent des expéditions de pêche:

Magante Fishing
environ 80$
Calle Duarte
☎*589-2677*
≈*589-2600*

Campo Tours
de 70$ à 95$
☎*589-2550*

Glissoires d'eau

Au bord de la route entre Sosúa et Cabarete, un parc d'attractions nautiques a été construit et plaira aux jeunes de tous âges:

Colombus Aqua Parque
10$ adulte/6$ enfant
☎*571-2642*

Golf

Les amateurs de golf en séjour sur la côte nord seront véritablement choyés, car cette région compte plusieurs terrains de golf, dont quelques-uns font partie des plus attrayants du pays.

Playa Cofresí

Bordant le splendide site hôtelier des Haciendas, le **Hacienda Golf Course** (☎*970-7434*), un parcours de 18 trous, a été aménagé en 1999.

Playa Dorada

Le golf de Playa Dorada, œuvre de Robert Trent Jones, a vraiment de quoi séduire. Aménagé sur le site de **Playa Dorada** (☎*320-3803*), non loin des grands complexes hôteliers, de verdoyants jardins et de la mer, il bénéficie d'un emplacement sans pareil. Les golfeurs profitent en outre d'un parcours de 18 trous où ils peuvent s'amuser ferme.

Playa Grande

Si le terrain de golf de Playa Dorada a su acquérir ses lettres de noblesse auprès d'une foule de golfeurs, un tout nouvel aménagement pourrait lui ravir le titre de plus beau terrain de golf de la côte nord, soit le club de golf de Playa Grande (☎*248-5313*). Rien n'a été négligé pour faire de l'endroit un site exceptionnel, et le parcours de 18 trous a été conçu en bordure de mer, au sommet de falaises. Il offre donc le double avantage de permettre de s'adonner à une activité des plus plaisantes tout en profitant du panorama séduisant de la côte.

Équitation

La région de la côte Atlantique du pays est propice à des balades à cheval. On peut s'y promener dans les montagnes de la cordillère Septentrionale, le long de la côte ou à travers la campagne. La plupart des grands hôtels offrent la possibilité de faire de l'équitation. Des séances d'une demi-journée ou d'une journée complète y sont proposées.

Río San Juan

Il est également possible de prendre part à l'une des excursions d'une journée complète (incluant le déjeuner) ou de ne faire qu'une promenade d'une heure:

Rancho de la Esperanza
3-11 Magante
☎223-0059

Héron garde-bœuf

Observation d'oiseaux

Le long de la côte Atlantique, on peut facilement apercevoir plusieurs espèces d'oiseaux, que ce soit près des plages, en forêt ou dans la campagne: le héron garde-bœuf, le colibri, la tourterelle, la frégate et le pélican sont notamment au rendez-vous.

Río San Juan

L'un des endroits les plus sûrs toutefois est certes la **lagune Gri-Gri**, à Río San Juan, car de multiples espèces viennent y nicher, notamment des hirondelles. On peut observer maintes espèces en remontant la lagune en barque ou en s'approchant à pied (*accès facile au bout de la rue de l'hôtel Bahía Blanca*).

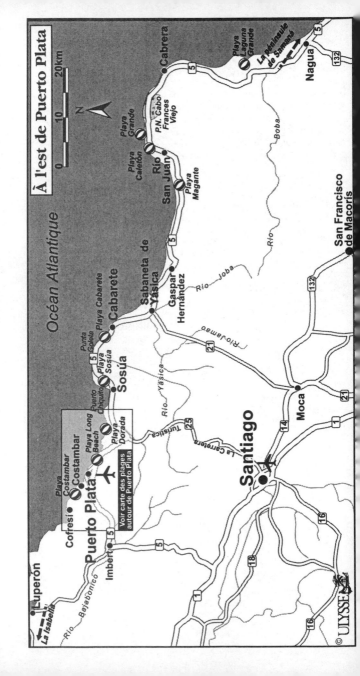

Attraits touristiques

Certains apprécieront particulièrement la côte nord de la République dominicaine pour ses magnifiques plages de sable blanc, qui comptent parmi les plus belles des Caraïbes et au bord desquelles des villages de vacanciers, proposant des lieux d'hébergement pour tous les goûts et tous les budgets, se sont développés.

D'autres lui préféreront ses splendides paysages façonnés par les montagnes de la cordillère Septentrionale et sa végétation luxuriante. Quelle que soit la raison pour laquelle on la visite, elle a de quoi plaire à tous les types de voyageurs.

Certaines personnes pourront également avoir l'occasion de visiter d'autres régions du pays et c'est pour satisfaire leur curiosité que des excursions d'une journée sont organisées au départ des principales villes de la côte nord. Ces excursions sont l'occasion de parcourir quelques-unes des villes les plus fascinantes, entre autres Santo Domingo, la capitale dominicaine fondée il y a plus de 500 ans et qui a conservé des trésors de cette époque lointaine, ainsi que Jarabacoa, charmante petite ville perchée dans les montagnes du centre du pays. Toutes deux permettent au voyageur de découvrir un autre visage de la République dominicaine.

Puerto Plata

Puerto Plata naquit aux tout débuts de la colonisation de l'Amérique, en 1502, par la volonté de Nicolás de Ovando de doter la flotte espagnole d'un port de mer sûr le long de la côte nord de l'île. Les premières années y ont été vécues sous le signe de la prospérité; mais, avec la découverte de richesses dans d'autres régions de l'Amérique, le port de Puerto Plata perdit de son importance pour la Couronne espagnole.

Pour pallier ce désintéressement de la métropole, les habitants de Puerto Plata s'engagèrent alors dans des activités de contrebande avec les Français et les Anglais. C'est pour enrayer cette contrebande et pour raffermir son emprise sur l'île que, par décret royal,

Puerto Plata fut détruite et abandonnée un siècle après sa fondation.

Sa renaissance date de 1742 et fut l'œuvre de quelques familles espagnoles originaires des îles Canaries. La ville redevint alors un important port de mer servant à l'expédition des richesses naturelles et des denrées alimentaires produites dans le centre du pays. Elle est aujourd'hui un centre urbain de taille moyenne très animé et possède le port de mer le plus fréquenté de la côte nord du pays.

Le Parc Central *(angle rue Beller et rue Separación)* se trouve au cœur de la ville. Juste à côté, vous verrez le **Codetel** et une banque.

Bureau de renseignements touristiques
1, Avenida Hermanas Mirabal
Parque Costeroé
☎586-3676

Puerto Plata occupe un beau site naturel donnant sur l'océan Atlantique et accolé aux montagnes de la cordillère Septentrionale. Malgré le développement constant de Puerto Plata, son centre-ville a été peu altéré et conserve toujours une ambiance et un cachet typiquement antillais.

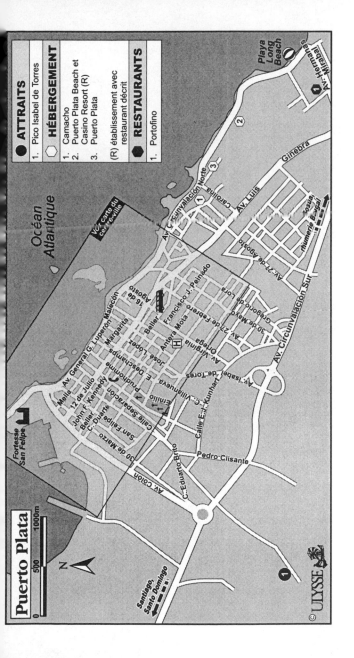

On a su y préserver plusieurs bâtiments de style victorien ou républicain datant du siècle dernier, lesquels longent ses avenues, principalement celles aux abords du parc Duarte, où est concentré l'essentiel de l'activité commerciale. À l'extrémité est de la ville se trouve **Long Beach**, qui borde une agréable promenade où se regroupent la plupart des installations touristiques de Puerto Plata. Mais, comme la Long Beach invite peu à la baignade, la plupart des vacanciers optent pour les plages des stations balnéaires situées à l'extérieur de Puerto Plata.

La **forteresse San Felipe de Puerto Plata** ★ *(1$; extrémité ouest du Malecón)* occupe une petite pointe s'avançant dans l'océan à l'extrémité ouest de la ville. Construit au XVIe siècle afin de défendre le port contre les attaques de flibustiers, ce bâtiment à l'architecture massive constitue aujourd'hui l'unique héritage de Puerto Plata datant de la première période de colonisation de la ville. À plusieurs reprises au cours de l'histoire, la forteresse servit non seulement à la défense de la ville, mais aussi de pénitencier. On peut désormais y visiter un petit musée militaire ainsi que la cellule où fut emprisonné

en 1844 Juan Pablo Duarte, héros de la guerre d'indépendance du pays.

Le site offre une belle vue sur la ville, l'océan et les montagnes. Pour s'y rendre, on doit marcher jusqu'à l'extrémité du **Malecón** ★, cette longue promenade bordant l'océan sur plusieurs kilomètres. Le soir venu, le Malecón est un lieu privilégié de rencontre pour les familles et les couples dominicains. Une foule d'étals envahissent les trottoirs, et l'on peut s'y procurer des victuailles.

Le **Parque Central** ★ *(au coin des rues Beller et Separación)* est l'un des principaux points d'animation de la ville. On trouve dans ses alentours une foule de commerces divers et de multiples restaurants. Ce parc, situé dans l'ancien quartier de la ville, est bordé de plusieurs bâtiments datant du siècle dernier. En son centre se dresse une jolie **glorieta** ★ dont la construction remonte à 1872. Il est aussi flanqué, sur son côté sud, de l'**Iglesia San Felipe**, datant de 1934, un bâtiment Art éco à l'aménagement intérieur très sobre. Non loin du parc se trouve également le **Musée de l'art taïno** *(Calle San Felipe, angle Beller)*.

Glorieta

Le **Musée de l'ambre** ★ *(2$; lun-ven 9h à 18h, sam 9h à 18h; au coin des rues Prud'homme et Duarte, ☎586-2848)* est aménagé dans une demeure de style néoclassique construite en 1918. Il possède une petite mais belle collection de pièces d'ambre, cette résine fossile qu'on trouve en abondance en République dominicaine. Une succession de petites vitrines protègent quelques intéressantes pièces, dont plusieurs renferment des insectes, notamment des coléoptères, ainsi que des végétaux emprisonnés au moment de la formation de l'ambre. On peut également admirer des morceaux d'ambre de qualité et de couleurs variées. Pour en savoir plus sur cette résine, vous pouvez faire appel encore à un guide, ou prendre quelques minutes pour lire les panneaux explicatifs relatant l'origine et la formation de l'ambre.

Une petite boutique située au-dessous du musée propose un bon choix de souvenirs, entre autres des bijoux d'ambre ou de «larimar», une jolie pierre bleue qu'on trouve également en République dominicaine.

Longtemps l'une des grandes attractions de la ville, le **téléphérique** menant au sommet du **Pico Isabel de Torres** ★★ *(2$; à environ 500 m de la sortie ouest de la ville, un petit chemin bien signalé, également d'environ 500 m, mène au bas du téléphérique)* subissait malheureusement des

Attraits touristiques

travaux de rénovation lors de notre passage à l'été 1999. Pour éviter d'être déçu, informez-vous de l'état des travaux avant de vous rendre sur place. Certains chauffeurs de taxi accepteront de vous emmener jusqu'au sommet. Sachez cependant que la route y menant est très abrupte et dangereuse. Le Pico Isabel de Torres offre de son point le plus élevé, à 793 m au-dessus du niveau de la mer, un panorama exceptionnel de Puerto Plata et des plages, des montagnes et des autres villes de la région. Cette montagne se trouve au cœur de la Reserva Científica Isabel de Torres, où poussent entre autres des palmiers, des tamariniers sauvages et des acajous d'Hispaniola, et où quelque 32 espèces d'oiseaux ont été observées. Une impressionnante statue du Christ Rédempteur a été érigée au sommet de la montagne, et des sentiers permettent de se balader à travers des jardins fleuris.

Si la fabrication du rhum pique votre curiosité, sachez qu'il est possible de visiter la **rhumerie Brugal** *(visites guidées gratuites; lun-ven 9h à 12h et 14h à 16h; bâtiments visibles de la route principale, à 500 m à l'est de la sortie de la ville).* C'est dans cette petite usine moderne qu'est fabriqué annuellement l'équivalent de 1 300 000 litres de rhum brun ou blanc, dont 95 % est consommé en République dominicaine. La visite est assez brève et ne permet que de voir la mise en bouteilles du rhum. Par contre, le guide est bien renseigné sur l'industrie du rhum dominicain et peut être une source d'informations très intéressante. À la fin de la visite, on peut s'arrêter à un petit kiosque qui propose divers souvenirs de l'entreprise Brugal, notamment le fameux rhum sous toutes ses versions à des prix légèrement inférieurs à ceux qu'on retrouve chez les détaillants.

Les amateurs de **baseball** pourraient bientôt être comblés, car il est maintenant presque assuré que la ville de Puerto Plata aura une équipe dans la ligue professionnelle de baseball de la République dominicaine. Cette ligue offre du jeu de haut niveau. Les matchs se dérouleront entre les mois d'octobre et de février. On aménagera à cet effet le vieux stade situé tout juste à côté de la rhumerie Brugal. Le baseball est le sport national des Dominicains.

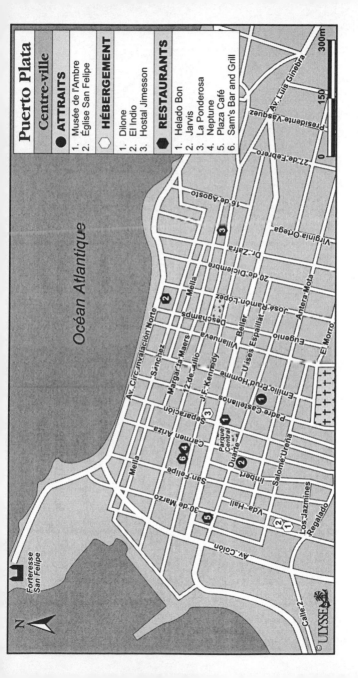

Puerto Plata

Centre-ville

● **ATTRAITS**
1. Musée de l'Ambre
2. Église San Felipe

⬡ **HÉBERGEMENT**
1. Dilone
2. El Indio
3. Hostal Jimesson

⬣ **RESTAURANTS**
1. Helado Bon
2. Jarvis
3. La Ponderosa
4. Neptune
5. Plaza Café
6. Sam's Bar and Grill

Océan Atlantique

Forteresse San Felipe

N

© ULYSSE

0   150   300m

Les baleines à bosse fréquentent également les eaux de l'océan Atlantique, au nord de Puerto Plata, où elles trouvent des eaux calmes, protégées par un récif de corail. Nombre d'entre elles s'y reproduisent et y mettent bas. Afin de protéger cette zone marine d'une grande importance pour la survie de ce mammifère marin, un sanctuaire a été créé, le **Banco de la Plata**, vaste de plus de 3 700 km². En raison des dangers pour la navigation que présente cette zone, peu, voire aucune, excursion d'observation des baleines ne s'y rend.

Costambar

De Puerto Plata, il faut faire, vers l'ouest, environ 3 km en voiture. De là, un petit chemin de pierres (bien signalé de l'autoroute) mène, après 1 km, à Costambar.

Costambar occupe les abords de la première petite **plage** à l'ouest de la ville de Puerto Plata. C'est une petite station balnéaire encore peu développée et très calme comprenant peu d'hôtels, mais quelques villas appartenant à des étrangers ou à des familles dominicaines nanties. Un golf à neuf trous occupe un grand terrain à proximité, alors que quelques restaurants, un centre de location de motocyclettes et des marchés d'alimentation comptent pour l'essentiel des services proposés sur le site. Peu de vacanciers optent pour séjourner à Costambar; on y vient en excursion que pour la plage ou le golf.

Playa Cofresí

Toujours sur la route principale, à quelques kilomètres à l'ouest de Costambar, un chemin bien signalé d'environ 1 km mène directement à Playa Cofresí.

Playa Cofresí connaît depuis quelques années une popularité croissante principalement due à l'ouverture du grand complexe **Hacienda Resorts**, qui regroupe plusieurs hôtels. Le site comprend également plusieurs villas privées, de bons restaurants, des marchés d'alimentation et divers autres commerces. Bien entendu, on vient d'abord et avant tout à Playa Cofresí pour sa jolie petite **plage** ★ de sable blanc.

Les marchés publics de la République dominicaine bourdonnent d'activité. - *Claude Hervé-Bazin*

La plage de Cabarete, l'une des plus populaires au pays.
- *T. Philiptchenko*

La lagune Grigri est un site exceptionnel où il est possible d'observer une multitude d'espèces d'oiseaux.
- *Claude Hervé-Bazin*

Playa Dorada

De Costambar ou de Playa Cofresí, il faut rebrousser chemin et traverser Puerto Plata pour se rendre à Playa Dorada. Sur la route principale, Playa Dorada est à environ 3 km à l'est de Puerto Plata.

Playa Dorada n'est ni un village ni une ville devenue touristique, mais plutôt une enclave de quelques kilomètres carrés construite de toutes pièces pour l'activité touristique.

Elle regroupe une dizaine d'hôtels, tous de luxe, proposant une gamme étendue de services et d'activités. Ces hôtels offrent tous la formule d'hébergement tout compris.

Le site a été fort bien aménagé et comprend de beaux jardins, de magnifiques haies d'hibiscus, quelques étangs, un superbe parcours de golf à 18 trous conçu par Robert Jones Trent, ainsi qu'une belle et longue **plage** ★ de sable blanc. On peut s'y adonner à une foule de sports nautiques, faire des excursions à

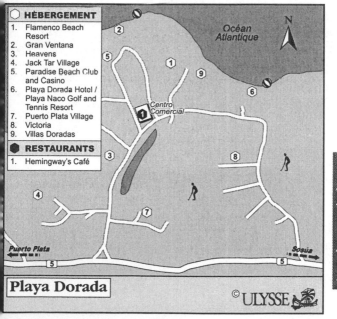

HÉBERGEMENT
1. Flamenco Beach Resort
2. Gran Ventana
3. Heavens
4. Jack Tar Village
5. Paradise Beach Club and Casino
6. Playa Dorada Hotel / Playa Naco Golf and Tennis Resort
7. Puerto Plata Village
8. Victoria
9. Villas Doradas

RESTAURANTS
1. Hemingway's Café

Océan Atlantique

N

Centro Comercial

Puerto Plata

Sosúa

Playa Dorada

© ULYSSE

Attraits touristiques

la découverte des régions avoisinantes, ou simplement s'y détendre, flâner et prendre un verre à l'une de ses nombreuses terrasses. Playa Dorada est, depuis plusieurs années, le plus populaire des grands centres de villégiature du pays. Elle plaît vivement aux vacanciers à la recherche d'une station balnéaire très sécuritaire, avec hôtels de luxe de niveau international. À l'inverse, ceux et celles qui désirent en connaître davantage sur la culture et la vie quotidienne des gens du pays ne s'y sentiront pas très à l'aise. On pénètre sur le site de Playa Dorada à partir de l'autoroute 5, qui longe la côte nord du pays.

Puerto Chiquito

Continuez sur l'autoroute 5 pendant une vingtaine de kilomètres. Environ 1,5 km avant d'arriver à Sosúa, un grand panneau coloré signale clairement l'entrée de Puerto Chiquito. Suivez alors le petit chemin sur moins de 1 km.

Puerto Chiquito occupe une jolie petite baie ceinturée de hautes parois rocheuses. C'est un site qui vaut certainement un coup d'œil, surtout à partir des terrasses de l'hôtel Sand Castle, d'où le panorama de l'océan est magnifique. La **plage** de sable blanc de Puerto Chiquito, traversée par la rivière Sosúa, fait plusieurs centaines de mètres de long. Elle est surtout fréquentée par la clientèle du Sand Castle pour la pratique de divers sports nautiques dans les eaux calmes de la baie. Ces eaux sont malheureusement polluées.

Sosúa

La ville de Sosúa est formée du quartier Los Chacamicos et du quartier El Batey. Ces deux quartiers sont séparés par la longue plage de sable de Sosúa. En provenant de Puerto Plata, on passe d'abord à proximité de Los Chacamicos, puis, environ 1 km plus loin, près d'El Batey, où se regroupent la plupart des hôtels de la ville.

Sosúa n'était qu'un petit centre de culture des bananes lorsqu'elle accueillit dans les années quarante un contingent de quelques centaines de réfugiés juifs européens. Le président de l'époque, le dictateur Trujillo, avait alors accepté d'accueillir ces réfugiés en République dominicaine afin de redorer son image sur la scène internationale, qui en avait bien besoin.

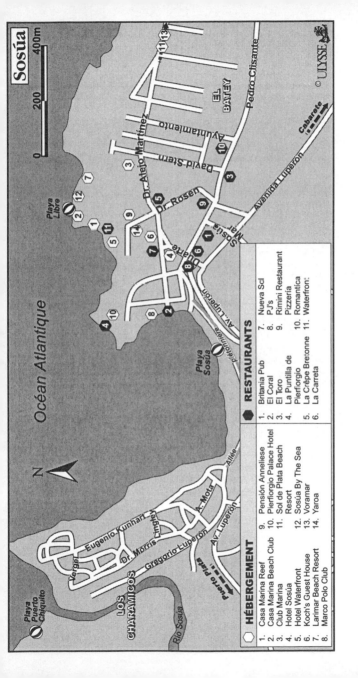

Sosúa

0   200   400m

Océan Atlantique

Playa Puerto Chiquito

Playa Libre

Playa Sosúa

LOS CHARAMICOS

EL BATEY

Río Sosúa

© ULYSSE

Ces nouveaux arrivants devaient avoir un impact de premier ordre sur le développement de Sosúa, notamment sur son économie, en mettant sur pied des fermes laitières et d'élevage prospères qui jalonnent encore la région et en font la réputation. Plusieurs de ces anciens réfugiés ou leur descendance habitent toujours la région.

Il demeure que la ville qu'ils ont contribué à construire semble leur avoir échappé totalement au profit des touristes, de plus en plus nombreux; par exemple, leur synagogue, désormais perdue au milieu d'un univers de bars, de restaurants, de discothèques et d'hôtels, semble maintenant appartenir à une autre civilisation et à une autre époque. En fait, à l'exception de la région de Puerto Plata, Sosúa a connu le plus important développement touristique de la côte, et l'aspect général de la ville en a certainement souffert. De son architecture traditionnelle, il ne reste maintenant que peu de choses, de grandes parties de la ville n'étant aujourd'hui que vouées au commerce. L'atmosphère a elle aussi bien changé, les vendeurs de toutes sortes sont devenus plus insistants et la prostitution s'est largement développée (en 1996,

le gouvernement est toutefois intervenu afin de tenter d'enrayer la prostitution).

Il est encore possible d'effectuer un bon séjour à Sosúa, car la ville regorge de possibilités en termes de restauration, d'hôtellerie et d'activités sportives. Sa côte, très accidentée, présente de beaux paysages et les eaux de sa baie sont toujours aussi cristallines.

Sosúa compte deux plages principales: la **Playa Sosúa ★**, toujours très achalandée, qui fait environ 1 km de long, et la **Playa Libre**, plus petite mais aussi plus calme.

Les deux quartiers de la ville qui occupent l'une et l'autre des rives de la baie sont séparés par la Playa Sosúa. La presque totalité des hôtels et du développement touristique se situent du côté est, dans le quartier **El Batey**, où l'on peut voir çà et là quelques très belles résidences. Le quartier de **Los Charamicos** est, quant à lui, resté très résidentiel et a su préserver l'atmosphère typique d'une petite ville dominicaine.

La **synagogue** de Sosúa (*Calle Alejo Martínez*) occupe un petit bâtiment d'aspect plutôt modeste où la communauté juive de la ville célèbre encore ses rites religieux.

Autour de la **Plaza Maxim's**, sur la rue Alejo Martínez, se regroupent plusieurs commerces, une banque et le **Codetel**.

Bureau des renseignements touristiques
Autoroute
Edificio Erick Houser
2e étage
☎ 571-3433

Tout juste à côté se trouve le **musée de Sosúa** *(entrée libre; 18h à 23h; Calle Alejo Martínez)*, dont la vocation est de faire connaître l'histoire de la fondation de la ville. On y présente des documents historiques ainsi que des objets personnels ayant appartenu aux premiers colons juifs de Sosúa.

À partir des environs de Sosúa, on peut faire de belles excursions à la découverte de la cordillère Septentrionale en empruntant la **Carretera Turística**. Cette route, interdite aux semi-remorques, offre de magnifiques **points de vue** ★ sur les paysages montagneux de la cordillère et mène jusqu'à Santiago de los Caballeros, dans le centre du pays. La Carretera Turística débute sur la route principale, à mi-chemin entre Sosúa et Puerto Plata. Par cette route, on peut se rendre à Santiago en environ une heure.

Punta Goleta

De Sosúa, en suivant l'autoroute sur une dizaine de kilomètres, vous arriverez à Punta Goleta.

La belle **plage** sablonneuse de Punta Goleta longe l'océan sur plusieurs centaines de mètres et constitue un prolongement de la superbe Playa Cabarete. Comme les hôtels à proximité ne sont pas très nombreux, elle est souvent peu fréquentée. De jolis parasols au toit de palmes y ont été disposés et attendent tout de même les visiteurs.

Cabarete

Continuez vers l'est sur l'autoroute pour vous rendre à Cabarete.

On surnomme Cabarete, non sans raison, la «capitale de la planche à voile». Les conditions pour la pratique de ce sport y sont en effet excellentes, particulièrement en été lorsque souffle un bon vent. Cabarete bénéficie d'ailleurs depuis quelque temps d'une certaine notoriété, puisque chaque année les experts s'y donnent rendez-vous en juin pour une compétition internationale. La pratique

Attraits touristiques

de la planche à voile ne demeure toutefois pas la seule raison qui incite à un séjour à Cabarete. Invitant à de longues balades, sa for- midable **plage** ★ ★ s'étend sur plus de 3 km. Cette plage est non seulement magnifique, mais aussi suf- fisamment grande pour qu'on ne s'y sente pas à l'étroit, et elle est moins achalandée que celle de Sosúa, par exemple.

Bien que le tourisme soit devenu la principale voca- tion de ce tout petit village, Cabarete a su conserver heureusement une atmos- phère agréable et même une certaine nonchalance. Le village offre tout de même un bon choix d'hôtels, surtout de petite ou moyenne taille, ainsi que plusieurs restaurants. Il a également l'avantage d'être bien situé pour effec- tuer des excursions le long de la côte Atlantique.

L'essentiel de la ville est répartie de part et d'autre de l'autoroute. Vous y trouvez des boutiques, un bureau de change et une petite banque. Le **Codetel** est situé sur l'autoroute, à environ 1 km en direction de Sosúa

Bureau de renseignements touristiques
Autoroute
Plaza Aloa
☎*571-0962*

Derrière le village, on peut découvrir l'intéressante **lagune** de Cabarete, où l'on peut observer le va-et-vient de plusieurs espèces d'oiseaux, notamment le pélican.

La visite des **grottes** ★ de Cabarete *(12$; prenez la route près du Codetel, soit du côté ouest de Cabarete. Cette route d'environ 1 km conduit au Cabarete Adventure Park)* ne peut se faire qu'avec un guide du Cabarete Adven- ture Park, l'unique entre- prise possédant les droits de commercialisation de l'endroit. Le tour guidé dure environ trois heures, tra- verse la campagne et une forêt tropicale, mais com- prend malheureusement plusieurs arrêts inintéres- sants le long de la route. Une fois arrivé aux grottes, on est néanmoins invité à les visiter et à se baigner dans l'une d'entre elles. La visite des grottes est intéres- sante, mais le reste du tour n'est pas très passionnant et les guides, tout comme le propriétaire de l'endroit, sont franchement antipathi- ques.

Gaspar Hernández

Petite ville côtière sans grand charme mais toujours très animée, Gaspar Hernández est située à un peu plus d'une quinzaine de kilomètres de Cabarete,

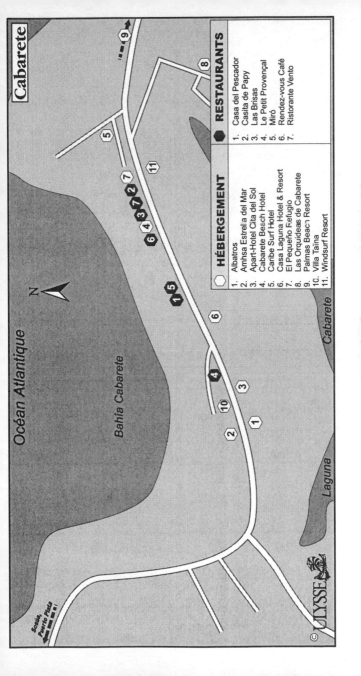

Cabarete

Océan Atlantique

Laguna

Bahía Cabarete

Cabarete

N

Scale
Puerto Plata

© ULYSSE

HÉBERGEMENT

1. Albatros
2. Amhsa Estrella del Mar
3. Apart-Hotel Cita del Sol
4. Cabarete Beach Hotel
5. Caribe Surf Hotel
6. Casa Laguna Hotel & Resort
7. El Pequeño Refugio
8. Las Orquídeas de Cabarete
9. Palmas Beach Resort
10. Villa Taína
11. Windsurf Resort

RESTAURANTS

1. Casa del Pescador
2. Casita de Papy
3. Las Brisas
4. Le Petit Provençal
5. Miró
6. Rendez-vous Café
7. Ristorante Vento

sur la route de Río San Juan et de Samaná. On y trouve plusieurs services pouvant être utiles aux voyageurs, notamment des banques, un Codetel, des stations-service ainsi que de petits hôtels pas chers mais de qualité douteuse.

Playa Magante

Environ à mi-chemin entre Gaspar Hernández et Río San Juan, un écriteau planté sur l'autoroute indique la direction de Playa Magante. Le long de cette petite plage de sable, propice à la baignade, se trouvent quelques bons restaurants.

Río San Juan

Río San Juan est à environ une trentaine de kilomètres à l'est de Gaspar Hernández, sur l'autoroute 5. Pour atteindre la plage de l'hôtel Bahía Blanca, contournez la lagune par la gauche.

Río San Juan constitue une agréable bourgade de pê-cheurs située dans une ré-gion réputée pour ses fer-mes d'élevage et de pro-duction laitière, et l'atmosphère y est encore celle d'une petite commu-nauté paisible tournée vers l'océan. D'ailleurs, certaines de ses avenues bordées de

maisonnettes aux couleurs pastel rappellent les ima-ges, un peu idéalisées, qu'on se fait souvent d'une petite ville des Caraïbes.

Le centre-ville de Río San Juan s'étend surtout au-tour de la Calle Duarte, qui compte notamment plusiers boutiques et une banque.

Si la majorité des étrangers ne viennent ici que pour visiter la fameuse lagune Gri-Gri, où l'on peut admi-rer de près la mangrove qui pousse en bordure de la côte, Río San Juan a suffi-samment à offrir pour un séjour de plus longue durée. Sa région est riche en paysages enchanteurs, et de jolies petites **plages** de sable longent son front de mer près du sympathique petit hôtel Bahía Blanca.

On y trouve également plusieurs autres petites pla-ges, pratiquement jamais fréquentées, en bordure de la lagune. Aussi, à environ 2 km de Río San Juan, du côté ouest, s'étend la **Playa Caletón**. On peut s'y rendre soit en barque à partir de la lagune Gri-Gri, soit à pied depuis la route de Cabrera.

On peut rejoindre la lagune Gri-Gri à partir de l'autoroute en empruntant la rue Duarte, artère principale de Río San Juan.

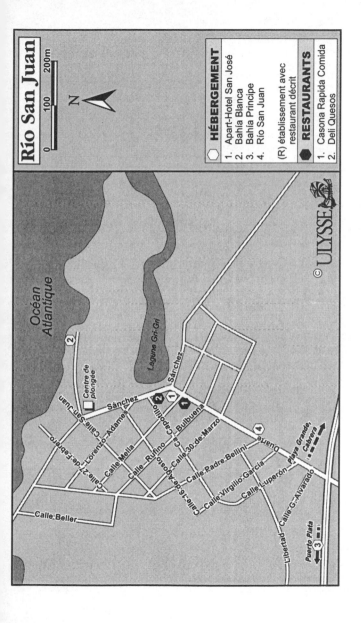

Río San Juan

0   100   200m

N

HÉBERGEMENT

1. Apart-Hotel San José
2. Bahía Blanca
3. Bahía Príncipe
4. Río San Juan

(R) établissement avec restaurant décrit

RESTAURANTS

1. Casona Rapida Comida
2. Deli Quesos

Océan Atlantique

Lagune Grí-Grí

Centre de plongée

Sánchez

Calle San Juan

Calle 27 de Febrero

Calle Lorenzo-Adames

Calle Mella

Calle Beller

Calle Rufino-Castillo

Ca. Bulbuena

Calle 30-de-Marzo

Calle-16-de-Agosto

Calle-Padre-Bellini

Calle-Virgilio-García

Calle-Luperón

Playa-Grande, Cabrera

Duarte

Libertad

Calle-G.-Alvarado

Puerto Plata

© ULYSSE

Des embarcations sont toujours disponibles pour visiter la **lagune Gri-Gri ★** *(26$ par embarcation, qui peut prendre jusqu'à 15 personnes; départ à l'extrémité de la rue Duarte, au coin de la rue Sánchez).* La balade qu'on propose permet de remonter la lagune Gri-Gri jusqu'à l'océan, offrant ainsi l'occasion de traverser une forêt de mangliers et de palétuviers, et d'observer de tout près plusieurs espèces d'oiseaux qui y nichent. La balade continue par la suite le long de la côte jusqu'à une crique appelée **La Piscina**, aux eaux cristallines idéales pour la baignade. Vous ferez par la suite un arrêt à la petite plage Caletón, le temps d'une autre baignade, avant de retourner vers la lagune. Ceux qui voudraient passer davantage de temps à observer les oiseaux peuvent se rendre à pied en bordure de la lagune en empruntant jusqu'au bout la rue de l'hôtel Bahía Blanca. Le matin est la meilleure période de la journée pour faire de l'observation et de la photographie d'oiseaux.

El Barrio Acapulco *(près de l'océan, du côté ouest de la ville)* est un quartier populaire de Río San Juan où résident la plupart des pêcheurs. Une visite de ce quartier, malheureusement très pauvre, fascinera ceux qui sont intéressés à la pêche et à la construction de navires en bois.

Playa Grande

À environ 8 km de Río San Juan se trouve la Playa Grande, certainement l'une des plus impressionnantes plages du pays. Bordé de palmiers, ce long croissant de sable blanc s'étire sur quelque 2 km le long d'une splendide baie. Le paysage environnant est enchanteur, et les vagues de bonne taille ravissent les baigneurs ainsi que les amateurs de surf. Un grand complexe hôtelier, le Caribbean Village, a ouvert ses portes en 1994 près de la plage, heureusement sans en altérer la beauté. Les gens qui fréquentent cette magnifique plage sont pour la plupart des clients de cet hôtel ou viennent en tour organisé à partir de Playa Dorada, de Sosúa, de Cabarete ou d'ailleurs. Toutefois, Playa Grande demeure encore moins fréquentée que les plages comparables situées dans l'ouest du pays.

Cabrera

*Quelques kilomètres plus loin,
l'autoroute passe en bordure
de Cabrera. Pour vous rendre
à Cabrera, vous devrez emprunter un petit chemin du
côté gauche de l'autoroute.
Soyez attentif puisqu'il est très
mal indiqué et se trouve dans
une courbe.*

Cabrera, cette bourgade
typique de la côte dominicaine, occupe un agréable
site au sommet d'un petit
cap. Elle ne pos
sède pas d'attraits
majeurs, sauf
qu'elle offre un
bon point de vue
sur l'océan et les falaises
toutes proches. Un
excellent endroit pour
bénéficier d'un beau
panorama de l'océan et
des hautes falaises de la
région est le **Parque
Nacional Cabo Frances Viejo**
(2 km au nord de Cabrera),
petite aire protégée le long
de la côte. C'est un endroit
calme, très peu fréquenté,
où l'on peut observer les
vagues de l'océan s'abattre
sur les falaises de la région.
Le parc est un bon endroit
pour faire un pique-nique.

On trouve également dans
la région immédiate de
Cabrera d'intéressantes plages sauvages, par contre
souvent difficiles d'accès.
Pour vous y rendre, il vous
sera essentiel de posséder

une bonne carte et de vous
informer auprès des gens
du pays.

Une visite au tout nouveau
parc écologique **Amazone 2**
(3$; à l'est de Cabrera) est
l'occasion d'une intéres-
sante balade d'une ving-
taine de minutes au cœur
d'une dense forêt où vous
pourrez voir quelques plantes et découvrir certains
aspects de la géologie de la
région. Avant de débuter
votre promenade, un petit
plan vous est remis; vous y
trouverez
l'emplacement des
points d'intérêt
de ce site (zone
des plantes
humides, vallée
des fougères,
grotte des chauves-
souris, etc.). L'endroit
vous donnera
également
l'occasion
d'observer
plusieurs
espèces d'oiseaux,
protégés par une gigan-
tesque serre formée d'une
toile. Une autre serre, plus
petite, abrite une foule de
jolis papillons.

★

La route des palmiers

Sur plus d'une dizaine de
kilomètres, la route entre

Cabrera et Nagua longe les flots bleus de l'océan tout en traversant une formidable palmeraie. Après avoir traversé la palmeraie jusqu'à l'océan, vous découvrirez alors de superbes plages sauvages. Si vous décidez de vous baigner, soyez très prudent car les courants peuvent être dangereux.

Nagua

L'autoroute 5 se rend jusqu'au centre de la ville de Nagua. Une fourche permet de prendre la direction de la péninsule de Samaná (vers la gauche) ou de San Francisco de Macorís (vers la droite).

Cette ville de taille moyenne, au carrefour des routes provenant de Puerto Plata et de San Francisco de Macorís, est un lieu de passage obligé pour tous ceux qui se dirigent vers la magnifique péninsule de Samaná. On y trouve plusieurs artères commerciales d'importance, des postes d'essence et un **Parque Central** *(Calle Duarte)* où se regroupent de petits restaurants. Comme la ville manque cruellement de charme, peu de personnes décident d'y résider. Par contre, plus au sud, entre Nagua et la péninsule de Samaná, vous longerez de magnifiques plages sauvages, sur lesquelles ont été construits quelques petits hôtels.

Excursion à Santo Domingo

Riche de quelque 500 ans d'histoire, Santo Domingo est la première ville fondée en Amérique. C'est en 1496, après une infructueuse tentative de colonisation sur la rive nord de l'île, que Bartolomé, frère du grand amiral génois Christophe Colomb, choisit un site au bord de la mer des Caraïbes, à l'embouchure de la rivière Ozama, pour l'érection d'une ville. Baptisée *Nueva Isabel*, cette ville voit le jour sur la rive du cours d'eau.

Mais ces premières installations sont entièrement détruites par un violent ouragan, et le gouverneur des colonies d'alors, Nicolás de Ovando, décide en 1502 de la reconstruire en un point qui lui semble plus stratégique, sur la rive ouest de l'Ozama.

Siège du gouvernement des colonies espagnoles au Nouveau Monde, Santo Domingo connaît dès ses débuts une période florissante, ainsi qu'en témoignent les nombreux bâtiments datant de cette époque.

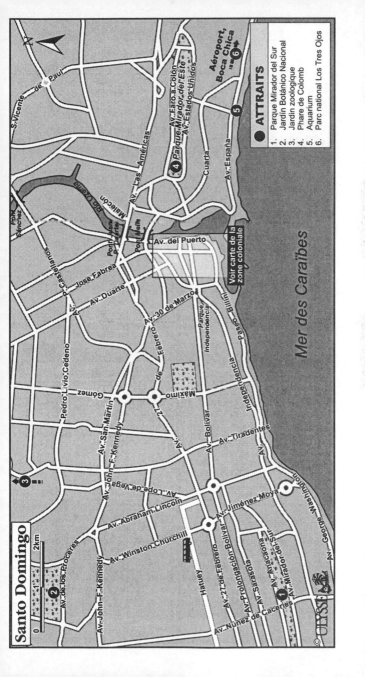

Pour l'Espagne, Santo Domingo perd de son importance dès 1515 avec le tarissement des gisements d'or des rivières de l'île et la découverte de fabuleuses richesses sur d'autres territoires, notamment au Pérou et au Mexique, ce qui amène les autorités à déplacer le gouvernement des colonies. Malgré son recul par rapport aux autres colonies espagnoles, Santo Domingo demeure toutefois un centre névralgique et continue de jouer un rôle majeur dans le développement du pays.

Très vite, les autres grandes puissances européennes se tournent à leur tour vers les colonies du Nouveau Monde et, enviant les richesses qu'y a trouvées l'Espagne, se lancent à leur conquête. Guerres, invasions et saccages deviennent alors le lot des colons, qui doivent faire face à ces envahisseurs.

Santo Domingo n'en est pas exempte et subit, dès 1586, les foudres du pirate anglais Sir Francis Drake, qui y détruit nombre de bâtiments. Offensive anglaise (en 1655) et domination française (1795-1809) ébranlent successivement la

capitale et ses habitants, qui parviennent, souvent au prix de durs combats, à résister ou à repousser l'envahisseur. Puis, au cours du XIXe siècle, ce sont les troupes haïtiennes qui envahissent le pays, qu'elles dominent à partir de 1822.

Le XIXe siècle apporte avec lui des idées d'indépendance qui changent le cours de l'histoire dominicaine. Juan Pablo Duarte, fervent défenseur de ces aspirations libertaires, parvient à obtenir l'indépendance du pays face à l'occupant haïtien en 1844. Santo Domingo est alors désignée capitale de la République dominicaine. La jeune république n'est cependant pas à l'abri des invasions, et elle est attaquée à maintes reprises par les troupes haïtiennes, que les Dominicains parviennent, non sans mal, à repousser.

Moins d'une vingtaine d'années plus tard, en 1861, l'Espagne met fin à l'indépendance de la République dominicaine en l'annexant de nouveau; Santo Domingo perd alors son statut de capitale. Cette annexion est néanmoins de courte durée, car en 1865 le pays est déclaré, une fois pour toutes, indépendant. Depuis cette époque, Santo Domingo n'a jamais perdu son titre de capitale. Seul son nom a été modifié sous le règne dictatorial du président Trujillo (1930-1961), le généralissime l'ayant rebaptisée «Ciudad Trujillo» en 1936. Au lendemain de la mort du président, la ville retrouve son nom : Santo Domingo.

La mort de Trujillo a également de dures conséquences pour la capitale, car d'importants troubles sociaux éclatent alors. L'instabilité est telle que les États-Unis jugent leur intervention indispensable pour remettre de l'ordre dans les affaires internes du pays. C'est ainsi qu'en 1965 les troupes américaines entrent à Santo Domingo et bombardent des quartiers de la vieille ville, abîmant quelques bâtiments anciens.

Aujourd'hui, avec plus de 3 000 000 d'habitants, Santo Domingo constitue la plus grande et la plus peuplée des villes de la République dominicaine. Elle en est aussi le centre financier, industriel et commercial. Ses industries pétrochimique, métallurgique, textile et plastique sont prospères. Elle possède également le port le plus fréquenté du pays. Malgré son

rythme très intense, Santo Domingo demeure une ville agréable, particulièrement dans la zone coloniale. C'est Nicolás de Ovando qui, en 1502, avait conçu les plans de la ville de façon à réduire les problèmes de circulation d'alors, concevant un réseau routier quadrillé. Cependant, ailleurs dans la capitale, l'expansion ne s'est pas toujours faite de manière aussi ordonnée.

La zone coloniale

Visiter la zone coloniale, c'est arpenter des rues empreintes de souvenirs et d'histoire, c'est découvrir des bâtiments parfois vieux de quelque 500 ans, c'est s'émerveiller sur un passé colonial encore palpable. Pour l'amateur de vieilles pierres, il s'agit sans nul doute de la visite la plus fascinante du pays. La balade à travers ces rues est d'autant plus agréable qu'il est aisé de s'y déplacer à pied, car les bâtiments sont situés dans un périmètre relativement restreint et la circulation y est moins dense qu'au centre-ville, qui se trouve non loin.

D'abord dénommé « Plaza Mayor », le **parc Colomb** (*angle Calle Arzobispo Meriño et Calle El Conde*), au centre duquel se dresse une statue de bronze du marin génois, est le point de départ de la balade. Plusieurs visites guidées s'effectuent depuis le parc, et les autobus remplis de touristes s'y arrêtent en grand nombre. C'est ce qui explique que les petits commerçants et les soi-disant guides privés y affluent, ce qui rend le parc moins paisible qu'on pourrait l'espérer.

La magnifique **Catedral Santa María de la Encarnación** ★★★ *(en face du parc Colomb)*, construite autour des années 1540 sur ordre de Real Miguel de Pasamonte, domine tout un côté du parc. Elle est célèbre pour être la première cathédrale construite en Amérique et constitue également le plus ancien bâtiment de style gothicoplateresque (qui allie les caractéristiques architecturales des styles gothique et Renaissance espagnole aux ornements baroques). De l'extérieur, ce bâtiment trapu, construit avec de lourdes pierres grises, peut sembler massif, mais il recèle un intérieur fort gracieux. Pour y pénétrer, vous franchirez d'abord une élégante porte.

Puis, une fois que vos yeux seront habitués à la pénombre, vous serez ravi de voir les élégantes arches, le magnifique autel d'acajou

datant de 1684 et les 14 petites chapelles disposées de part et d'autre de la cathédrale. Jusqu'en 1992, l'une de ces petites chapelles renfermait le tombeau de Christophe Colomb; il se trouve dorénavant au phare de Colomb. Au fil des ans, la cathédrale s'étant détériorée, des travaux de rénovation et de consolidation furent entrepris et ont été récemment terminés. Notez que vous pourrez vous faire refuser l'entrée si vous portez un short ou une jupe courte.

Datant du XIXe siècle, le **palacio Borgella** *(sur Isabel la Católica, en face du parc Colomb)* était autrefois le siège du pouvoir exécutif du pays. Il loge désormais des bureaux administratifs.

Après avoir visité les abords du parc Colomb, prenez à gauche la rue Pellereno Algaz (le premier petit passage de pierres).

La **casa de Diego Caballero** et la **Casa del Sacramento** *(Calle Pellereno Algaz)* se dressent sur cette petite voie de pierres, première rue piétonnière de Santo Domingo. La maison Del Sacramento fut la demeure de personnages importants de la colonie, notamment l'archevêque Alonso de Fuenmayor, qui ordonna l'érection des murs de la ville.

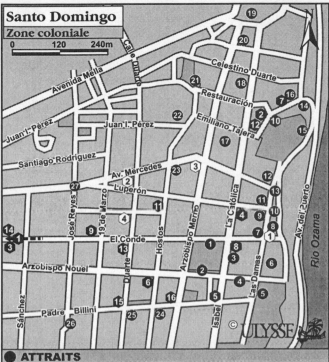

Santo Domingo
Zone coloniale

0   120   240m

La maison de Diego Cabal-
lero fut, quant à elle, construite vers 1523. Sa façade
se distingue par deux tours
carrées. À l'intérieur de la
demeure, on aperçoit des
galeries constituées de soli-
des arcs de pierres.

*Continuez votre balade jusqu'à
la rue Las Damas.*

Promenade sur la
Calle Las Damas

La **Calle Las Damas** n'a rien à
voir avec le reste de Santo
Domingo. Cette splendide
petite rue, où se succèdent
quelques-uns des plus
vieux et des plus beaux
bâtiments de la vieille ville,
marquera sans nul doute
votre mémoire et constitue-
ra certainement l'un des
moments marquants de
votre voyage.

La **Fortaleza de Santo Domingo** ★ *(10 pesos; lun-sam 9h à
17h, dim 10 à 15h; Calle Las
Damas)*, le plus ancien
bâtiment militaire
d'Amérique, se dresse
fièrement au bord d'une
falaise dominant à la fois la
mer des Caraïbes et la
rivière Ozama, en un point
qui fut jadis stratégique
pour assurer la protection
de la colonie. Ce vaste
complexe est entouré d'une
large muraille de pierres et,
à l'intérieur, se trouve un

agréable jardin. Au centre
de ce vaste jardin s'élève la
statue de Gonzales de
Oviedo, que vous remar-
querez dès votre arrivée. À
droite de l'entrée se situe le
bâtiment des munitions. Au
bout du jardin se dresse le
bâtiment carré dénommé la
Torre del Homenaje
(tour de l'Hommage),
dont la construction, or-
donnée par Nicolás de
Ovando, remonte à 1505.

La **Casa de Bastisdas** *(Calle Las
Damas)* fut bâtie au début
du XVIe siècle pour Don
Rodrigo de Bastidas, com-
pagnon de Nicolás de
Ovando, qui arriva à Santo
Domingo en 1502. Vous
remarquerez, en entrant
dans cette élégante de-
meure, son beau portail
néoclassique datant du
XVIIe siècle. Deux petites
galeries d'art ont été aménagées dans les pièces
attenantes à l'entrée.

La construction de la **Casa de
Hernán Cortés** *(Calle Las Damas)*, remonte au début du
XVIe siècle. Elle fut d'abord
la résidence d' Hernán Cortés et par la suite, la résidence devait servir
d'hébergement aux repré-
sentants des institutions
publiques. Aujourd'hui ré-
nové, le bâtiment loge les
bureaux de la Maison de la
France. C'est à partir de
cette demeure que Cortés
planifia et organisa la
conquête du Mexique.

Désormais transformée en hôtel, la **Casa de Nicolás de Ovando** *(Calle Las Damas)* fut la résidence de Nicolás de Ovando, gouverneur de la colonie de 1502 à 1509. Cet homme, urbaniste avant l'heure, édicta des normes pour la construction des édifices et détermina que le plan des rues de la ville devrait être quadrillé. Cette maison compte certainement parmi les plus belles de cette époque. Construite avec de belles pierres taillées, elle arbore un portail orné de décorations de style gothique, très rares dans le Nouveau Monde.

Autrefois l'église des jésuites, le bâtiment du **Panthéon national** ★ *(9h à 16h30; Calle Las Damas)* fut érigé entre 1714 et 1745. Bâtie avec de lourdes pierres grises, cette ancienne église de style néoclassique et d'aspect massif présente une façade ornée des armoiries de la République dominicaine. L'église se compose d'une seule nef, dans laquelle sont suspendus de magnifiques lustres de fer forgé. C'est en 1950 que Trujillo décida de la transformer en panthéon en l'honneur des héros de la nation. Il est possible de la visiter; toutefois, vous ne pourrez entrer si vous portez un short ou une jupe courte.

Fortaleza de Santo Domingo

La **Capilla de Nuestra Señora de los Remedios** *(Calle Las Damas)*, qu'on remarque aisément à sa façade de brique rouge et à son campanile à trois arches, était au XVIe siècle une église privée appartenant à une riche famille de la ville : la famille Davila. Abandonnée pendant longtemps et en grande partie détruite, elle fut reconstruite à la fin du XIXe siècle.

La **Casa de los Jesuitas** ★ *(Calle Las Damas)*, en brique et en pierre, est l'un des plus vieux bâtiments de la ville. Construite sur ordre de Nicolás de Ovando, elle fut donnée à la Compagnie de Jésus en 1701. Cette dernière y établit un collège qui devint une université dès 1747. En 1767, lors de

Attraits touristiques

l'expulsion des jésuites de la République dominicaine, la maison fut reprise par la Couronne espagnole.

Le **Museo de Las Casas Reales** ★★ *(15 pesos; mar-dim 10h à 17h; Calle Las Damas, à l'angle de la rue Mercedes)* est aménagé dans les deux grands palais qui constituèrent à l'origine le siège des institutions royales. C'est d'ailleurs ce qui explique son nom: musée des «maisons royales». La construction des deux bâtiments fut terminée dans les années 1520.

Bien que son aspect extérieur soit assez modeste, l'intérieur est richement décoré. On y expose aujourd'hui différents objets relatifs à l'histoire sociale, politique, économique, religieuse et militaire du pays. Le musée présente, entre autres, une magnifique collection d'armes provenant de divers pays.

La visite est intéressante, même si certaines salles ne contiennent aucun trésor.

Au bout de la rue Las Damas se dresse l'**horloge solaire** *(Calle Las Damas, à l'angle de la rue Mercedes)*, dont la construction date de 1753. De ce point, vous aurez une vue splendide sur le port et la rivière Ozama.

Vous apercevrez ensuite un vaste parc, peu invitant en raison du peu d'ombre dont il bénéficie, au centre duquel se dresse une statue de Nicolás de Ovando. Tout au bout s'élève l'**Alcázar de Colón** ★★★ *(20 pesos; mar-dim 9h à 17h; Calle Las Damas, à l'extrémité du parc)*. Il fut construit en 1509-1510 afin d'accueillir le fils de Christophe Colomb, Diego Colomb, qui succédait en 1509 à Nicolás de Ovando comme vice-roi de la colonie.

Alcázar de Colón

Laissé à l'abandon durant des années, des travaux de reconstruction durent être entrepris dans les années cinquante par l'architecte Javier Borroso.

Le palais, dont la belle façade comporte 10 grandes arches en pierre, est ouvert au public, et sa visite vous permettra de contempler de très beaux meubles d'époque.

Près du palais de Diego Colomb se trouvent la **porte San Diego** *(Calle Las Damas)*, dont la construction remonte à 1571 et qui était, autour des années 1576, l'entrée principale de la ville. À côté, il est possible d'observer une partie du mur de la forteresse San Diego, qui protégeait Santo Domingo au début de la colonie. Aménagée face à la rivière, cette forteresse était alors le principal point de défense de la ville. Au bout de la place d'Espagne, prenez la première petite rue à droite pour atteindre la **Calle Atarazana** ★. Sur cette rue fut construit, dès 1509, le premier complexe de boutiques d'Amérique. Il s'agit d'une succession de petites maisons blanches aux fondations en brique dont le style architectural est unique au pays.

Outre leur richesse architecturale, elles forment un ensemble des plus harmonieux qui se compose, encore aujourd'hui, de quelques petits commerces.

Revenez ensuite sur vos pas jusqu'à la rue Emiliano Tejera, puis tournez à gauche sur Isabel la Católica.

Promenade sur la Calle Isabel la Católica

La Calle Isabel la Católica forme un ensemble moins harmonieux que la rue Las Damas; on y trouve cependant quelques intéressants bâtiments de l'époque coloniale flanqués de constructions plus récentes.

Érigée en 1502, la **casa del Cordón** *(rue Isabel la Católica, au coin de la rue Tejera)* compte parmi les premières habitations en pierre de tout le Nouveau Monde. C'est là que vécut la famille de Diego Colomb lors de son arrivée au pays en 1509, et ce, jusqu'à ce qu'elle déménage au palais (Alcazar de Colón) en 1510. La maison se distingue aisément, car on aperçoit, sculpté sur sa façade, un gros cordon, symbole de l'ordre des franciscains.

Le **Museo de Juan Pablo Duarte** ★ *(10 pesos; lun-ven 9h à 12h et 14h à 17h, sam-dim 9h à 12h; rue Isabel la Católica, à l'angle de la rue Celestino Duarte)* occupe la maison où naquit Juan Pablo Duarte, le 26 janvier 1813. Ce héros national se fit connaître comme chef de la Trinataria, une organisation secrète visant à libérer la République dominicaine du joug haïtien.

De fait, le 27 février 1844, le pays put déclarer son indépendance grâce à ses efforts. Exclu du pouvoir, il dut s'exiler au Venezuela, où il demeura jusqu'en 1864. Lorsque l'Espagne annexa de nouveau le pays (1861-1865), Duarte revint en République dominicaine pour s'opposer à cette domination. Mais, forcé de quitter le pays encore une fois, il ne put y revenir, et il mourut à Caracas (Venezuela) le 15 juillet 1876. Le musée relate les moments marquants de sa vie. Il présente également de nombreux objets lui ayant appartenu. Le bâtiment en lui-même a peu de charme, mais l'exposition sur la vie de Duarte est plutôt réussie.

Le **Fuerte** et l'**Iglesia Santa Barbara** *(rue Isabel la Católica, au coin de l'avenue Mella)*, bâtis en 1562, forment un ensemble unique du fait de leur construction conjointe empruntant des éléments de styles variés entre autres le gothique et le baroque. La façade arbore deux tours carrées de taille différente et trois arches en brique qui entourent la porte d'entrée. Le fort fut érigé au XVIIIe siècle en un point d'où les soldats pouvaient avoir l'œil sur une partie de la ville et sur la rivière Ozama. L'église, pour sa part, construite à la fin du XVIe siècle, fut détruite par un ouragan quelques années plus tard. Le sanctuaire fut par la suite reconstruit et jusqu'à huit chapelles y ont été aménagées au fil des ans.

Promenade sur la Calle Arzobispo Meriño

Après avoir visité le fort, empruntez la rue Arzobispo Meriño; vous atteindrez ainsi l'ermitage San Antón.

Une initiative privée a permis la création du **Musée de l'ambre** ★ *(452 Arzobispo Meriño)*, qui se propose de mieux faire connaître cette substance issue du durcissement de la sève d'une essence de pin maintenant disparu. La visite, qui dure au plus 30 min, permet de se familiariser avec le processus de formation de l'ambre et de mieux comprendre comment des insectes ou des feuilles ont pu y être emprisonnés. Il est d'ailleurs possible d'en observer quelques beaux spécimens. Vous aurez en outre l'occasion d'y contempler l'ambre sous toutes ses couleurs, car il n'en existe pas seulement de couleur jaune, mais aussi du rouge, du vert et du bleu. Enfin, l'exposition vise aussi à permettre aux consommateurs de bien distinguer l'ambre véritable de ses imitations, et d'utiles conseils vous seront fournis sur place.

L'**Ermita de San Antón** *(rue Hostos, à l'angle de la rue Restauración)* est situé à deux pas du monastère San Francisco. Dès 1502, Nicolás de Ovando avait déjà planifié son érection, mais il ne fut terminé qu'en 1586. Quelques années plus tard, lors du saccage de la ville par Drake, il fut brûlé. En 1930, détruit par un ouragan, l'ermitage fut par la suite reconstruit.

S'élevant sur une petite colline au cœur de l'ancienne ville, le **Monasterio de San Francisco** ★★ *(10 pesos; tlj 10h à 17h, fermé dim; rue Hostos, à l'angle de la rue Tejera)*, dont il ne reste que des ruines, est impressionnant. Son érection débuta

dès 1505 et ne fut terminée en grande partie qu'au XVIᵉ siècle. En 1673, un tremblement de terre le détruisit complètement. À l'origine, il comprenait trois bâtiments distincts mais unis, à savoir le couvent, l'église et la chapelle. En visitant ses ruines, on remarque les épais murs de pierres qui le ceinturaient. Parmi les ruines, c'est la petite chapelle qui s'avère la plus facile à identifier, car elle possède encore sa voûte en brique.

Après avoir visité le monastère, continuez sur le parvis et rendez-vous dans la rue Hostos. Une portion de la route que vous emprunterez est bordée de fort jolies maisonnettes colorées.

Au lendemain de la reconstruction de Santo Domingo sur la rive droite de la rivière Ozama, **l'hôpital San Nicolás** *(rue Hostos, au coin de la rue Mercedes; il faut revenir sur ses pas)* fut érigé grâce à Nicolás de Ovando dans le but d'offrir des soins aux pauvres et aux nécessiteux de la ville. Le bâtiment cruciforme, comme on en rencontre souvent dans la tradition espagnole, est aujourd'hui en ruine. Cet hôpital fut sans doute le premier bâti dans le Nouveau Monde.

Attraits touristiques

Le **parc Duarte** forme un îlot de tranquillité joliment aménagé où il fait bon se reposer.

Dominant tout un côté du parc, l'**Imperial Convento de Santo Domingo ★** *(rue Hostos, à l'angle de la rue Padre Bellini)* apparaît comme une superbe structure de pierres; sa construction s'est effectuée en plusieurs étapes: le couvent lui-même en 1510 et l'église en 1517 (elle fut cependant détruite à la fin du XVIe siècle par un tremblement de terre), tous deux de style gothique. Il renferme cinq chapelles dont la chapelle du rosaire bâtie en 1649, de style plateresque. Ce bâtiment a également eu le privilège d'abriter la première université d'Amérique, l'université Santo Tomás de Aquino. Le couvent, encore en bon état, n'est pour le moment pas accessible au public, car des travaux de rénovation doivent être entrepris.

À quelques pas du couvent se dresse la **Capilla de la Tercera Ordén de los Dominicos** *(Calle Padre Billini, angle Duarte)*, qui date de 1729 et qui jadis faisait partie de l'Imperial Convento de Santo Domingo. Elle arbore une façade dépouillée de style baroque et ne renferme qu'une seule nef ainsi que trois petites chapelles.

Aux limites de la zone coloniale

Aménagé à l'extrémité de la Calle El Conde, le **parc Independencia** est entouré de rues où la circulation est toujours dense et bruyante, aussi le parc vous apparaîtra-t-il comme un îlot de verdure et de calme. En son centre se dresse un monument renfermant les tombes de trois héros dominicains, (Duarte, Sánchez et Mella) s'étant battus pour l'indépendance du pays.

Autrefois, les Dominicains venaient le dimanche sur la rue Mella pour y déguster certains plats bien particuliers, issus des traditions culinaires africaines.

Aujourd'hui, cette rue a bien changé et ce n'est plus un quartier africain, mais une artère commerciale comptant une multitude de boutiques proposant des produits en tous genres. C'est aussi sur cette artère que s'étend le **Mercado Modelo ★**. Il s'agit en fait d'un énorme marché intérieur où les Dominicains viennent vendre diverses denrées et des bijoux de coquillages, de «larimar» ou d'ambre, des vêtements de plage et de l'artisanat. L'endroit est pittoresque à souhait, mais soyez tout même prudent (les allées sont étroites et parfois sombres) et négociez toujours avant d'acheter.

Le centre culturel

Le **centre culturel** *(rue Máximo Gómez, entre la rue César Nicolás Pensón et l'avenue Pedro Henríquez Urena)* regroupe quatre musées, le Musée d'art moderne, le Musée d'histoire naturel, le Musée d'histoire et de géographie et le passionnant Musée de l'homme dominicain. Il s'y trouve également l'important théâtre national.

Le **Musée de l'homme dominicain** ★★ *(10 pesos; mar-dim 10h à 17h)* est sans contredit le musée le plus intéressant de Santo Domingo, voire de la République dominicaine. Au rez-de-chaussée, on découvre une riche collection d'objets d'art ayant appartenu aux Taïnos, ces autochtones qui habitaient la République dominicaine lors de l'arrivée de Christophe Colomb et qui furent décimés au moment de la colonisation. Tout le rez-de-chaussée est consacré à la présentation de certains aspects de la vie quotidienne, artistique et religieuse de cette société qui vivait dans l'île depuis plus de 1 000 ans à l'arrivée des Européens. La visite de ce

musée est fascinante. Vous déplorerez cependant le fait que les panneaux d'interprétation du musée, fort peu nombreux, ne soient rédigés qu'en espagnol.

Le premier étage retrace divers événements qui ont jalonné la colonisation du pays. Parmi les sujets abordés, une grande attention est accordée à l'histoire de l'esclavage. On y raconte les difficiles conditions de vie que durent subir les milliers d'Africains amenés de force en République dominicaine. La dernière salle présente une magnifique collection de masques des différents personnages de carnaval propres à chaque région du pays.

Excursion à Jarabacoa

Située dans les montagnes de la cordillère Centrale, à plus de 500 m d'altitude, Jarabacoa bénéficie d'une température agréable tout le long de l'année. Les Dominicains fortunés y possèdent souvent leur résidence secondaire, et la ville, aux nombreuses maisons luxueuses, respire l'aisance. Son centre-ville animé est agrémenté d'un petit parc très coquet, bordé d'une

Le carnaval

Durant les dimanches de février, et particulièrement le dernier dimanche du mois, le carnaval bat son plein en République dominicaine. Les journées entourant cette fête populaire sont l'occasion de défilés, de grands rassemblements et de danses. Mais le clou de ces folles festivités réside sans aucun doute dans les personnages de carnaval, habillés de costumes colorés et portant des masques souvent pourvus de grandes cornes. Qu'il s'agisse des *diablos cojuelos* de Santo Domingo ou de La Vega, des *lechones* de Santiago, des *toros y civiles* de Monte Cristi, des *papeluses* de San Francisco ou des *buyolas* de San Pedro de Macorís, ces diables amusants sillonnent les rues à la recherche de pécheurs. On peut voir quelques-uns de ces masques au Musée de l'homme de Santo Domingo.

Les origines du carnaval sont obscures, mais on retrouve de telles festivités dans bon nombre de pays latins. Elles pourraient dériver d'une fête païenne qui honorait jadis la venue du printemps et du renouveau de la nature, ou encore d'un festival de la Rome antique. Toujours est-il que cette fête a traversé les âges et s'est adaptée aux coutumes et aux traditions de chaque pays.

élégante église de style colonial.

Jarabacoa a du charme, mais ce sont surtout les magnifiques paysages vallonnés l'entourant de tous côtés qui ravissent les visiteurs et les nombreux artistes à la recherche d'inspiration. Sa région est également réputée comme un important centre d'élevage de chevaux, et l'équitation y est un sport très populaire. Le golf, les baignades au pied des chutes et dans les *balnearios*, ainsi qu'une foule d'autres activités sportives pouvant être pratiqués dans la région font de Jarabacoa un centre de villégiature de plus en plus populaire. Le **Rancho Baiguate**, une entreprise désormais bien connue, organise dans la région plusieurs activités sportives, dont des descentes de rivière.

El Salto de Jimenoa ★★

(1$: à une dizaine de kilomètres de Jarabacoa en direction de La Vega, près de l'hôtel Alpes Dominicanos; une route d'environ 5 km mène à l'entrée du site; il vous restera alors une randonnée de 5 min à faire à pied) Voilà l'une des plus belles chutes d'eau du pays. Elle fait environ une trentaine de mètres de hauteur et forme à son pied une piscine naturelle où l'on peut se baigner. Son cadre a quelque chose

d'idyllique. Pour s'y rendre, des passerelles ont été aménagées, permettant de remonter la rivière jusqu'à la chute. Un petit café sert des rafraîchissements.

El Salto de Baiguate ★ *(entrée libre; en direction de Constanza, prenez la troisième rue à droite passé l'hôtel Pinar Dorada; quelques kilomètres plus loin, vous apercevrez un stationnement d'où une randonnée de 10 min vous mènera à la chute).* Pas aussi

spectaculaire que la précédente, mais tout de même très jolie, cette chute fait également une trentaine de mètres de hauteur, et l'on peut se baigner à son pied. L'endroit est plus sauvage que les abords du Salto de Jimenoa.

Le **Balneario de la Confluencia**

(au bout de la calle Norberto Tiburcio) est le point de rencontre des rivières Jimenoa et Yaque del Norte, qui forment un tourbillon tumultueux où l'on peut se baigner. Un petit parc borde ce *balneario*.

Le **Balneario de la Guazaras**

(prenez la Calle Norberto Tiburcio, puis la troisième rue à gauche depuis l'embranchement) est une cascade à proximité du centre-ville de Jarabacoa et un endroit de baignade populaire auprès des enfants de la ville.

Hébergement

En ce qui a trait à l'hébergement, vous aurez l'embarras du choix.

Selon le type d'établissements que vous choisirez, du plus petit hôtel au grand complexe hôtelier, le prix d'une chambre variera grandement, mais vous devrez toujours y ajouter 5% pour la taxe et 6% pour le service.

Il est également d'usage de laisser de 10 à 15 pesos, par jour, pour les services fournis par la femme de chambre; vous pouvez le lui laisser à la fin de votre séjour.

La plupart des grands hôtels acceptent les cartes de crédit; les petits hôtels, quant à eux, les prennent rarement.

Types d'hébergement

L'hôtel

On distingue trois catégories d'hôtels. Près des centres-villes, on trouve des hôtels pour petit budget dont le confort est souvent rudimentaire. Leurs chambres comportent généralement une petite salle de bain et un ventilateur de plafond. La seconde catégorie, soit les hôtels de catégorie moyenne, dispose normalement de chambres climatisées, au confort simple mais adéquat. On les trouve généralement dans les centres touristiques et dans les grandes villes. Enfin, les hôtels de la troisième catégorie, les hôtels de catégorie supérieure, sont situés dans les villages touristiques ou sur de vastes terrains isolés. Ils se surpassent tous en luxe et en confort. Parmi les hôtels de cette dernière catégorie, plusieurs grandes chaînes d'hôtels internationales, notamment Occidental Hoteles, LTI, Carribean Village, Barcelo, Alegro et Jack Tar Village sont présentes en République dominicaine.

Sauf les hôtels pour petit budget, la plupart sont équipés d'une génératrice électrique, car les pannes de courant sont fréquentes dans le pays et ainsi elles n'incommodent pas les vacanciers. Les hôtels de catégories moyenne et supérieure disposent souvent de gardiens qui veillent à assurer la sécurité des visiteurs.

Enfin, certains hôtels proposent un forfait tout compris, si bien que le prix d'une chambre inclut deux ou trois repas par jour, toutes les boissons locales, les taxes et le service. Lorsque ce forfait est proposé, nous l'indiquerons à côté du prix de la chambre.

Les *apart-hotels*

Les *apart-hotels* sont conçus comme des hôtels et en offrent tous les services, mais proposent en plus une cuisinette équipée. Pour les longs séjours en République dominicaine, il s'agit d'une formule économique.

Les *cabañas*

Ce type d'hébergement ne diffère guère des hôtels. Les *cabañas* ont la particularité de proposer des chambres situées dans de petits pavillons indépendants. Elles sont généralement peu chères et comportent parfois une petite cuisinette.

Les logements chez l'habitant (*bed and breakfasts*)

Ici et là, quelques personnes ont aménagé leur maison afin de recevoir des visiteurs. Le confort offert peut varier grandement d'un endroit à l'autre. Ces chambres ne disposent généralement pas de salle de bain privée.

Les auberges de jeunesse

Il n'existe pas d'auberge de jeunesse en République dominicaine. Pour ceux qui veulent se loger à peu de frais, il faudra regarder du côté des petits hôtels.

Le camping

On ne trouve des endroits aménagés pour faire du camping qu'au parc national Armando Bermúdez, dans le centre du pays. Les campeurs s'y arrêtent lors de randonnées vers le Pico Duarte. Bien que le camping ne soit pas une activité à laquelle s'adonnent les Dominicains, rien ne vous empêche de planter votre tente pour la nuit sur l'une ou l'autre des multiples plages isolées du pays. Il faut bien sûr demeurer discret et éviter de camper sur des propriétés privées sans au préalable avoir demandé l'autorisation.

Puerto Plata

La ville de Puerto Plata possède une infrastructure hôtelière pouvant accueillir un bon nombre de visiteurs. La plupart des vacan-

ciers qui désirent résider près d'une belle plage choisissent toutefois des hôtels un peu à l'extérieur de la ville, à Playa Dorada ou à l'un des nombreux centres de villégiature de la région. Les quelques grands hôtels de Puerto Plata proposent souvent en contrepartie des tarifs relativement moins élevés que ceux de Playa Dorada et offrent un service efficace de navettes les reliant aux meilleures plages de la région.

Les visiteurs qui voyagent avec un petit budget peuvent trouver quelques hôtels au centre-ville de Puerto Plata. Toutefois, Puerto Plata n'est pas le meilleur endroit sur la côte nord pour des chambres bon marché, Sosúa et Cabarete offrant une meilleure sélection dans cette catégorie d'hébergement.

Dilone
8$

⊗
96 Calle 30 de Marzo
Si vous choisissez néanmoins de résider à Puerto Plata, vous pouvez loger au centre-ville, où se trouve l'hôtel Dilone, dont les chambres offrent un confort pour le moins rudimentaire.

Camacho
20$

≈, ≡, ℜ
sur le Malecón
☎ 586-6348

Sur le Malecón, face à la mer, l'hôtel Camacho est une bonne adresse pour qui dispose d'un petit budget. Il renferme de grandes chambres simplement meublées et propres.

El Indio
20$

⊗, ℜ
94 Calle 30 de Marzo
☎ 586-1201

L'hôtel El Indio propose quelques chambres plus tranquilles et bien tenues. Il est situé sur une rue paisible du centre-ville de Puerto Plata et comporte un agréable jardin tropical. Évidemment, comme il n'y a ni piscine ni plage à proximité et qu'on n'y offre pas de service de navette, El Indio conviendra surtout aux voyageurs disposant d'un moyen de transport. Le propriétaire, d'origine allemande, accepte souvent de négocier les prix des chambres.

🦎 Hostal Jimesson
20$

⊗
Calle John F. Kennedy, angle Separación
☎ 586-5131

La vieille ville de Puerto Plata recèle encore de belles demeures historiques qui sont parvenues à traverser les années tout en conservant leur charme. Une de ces belles demeures abrite l'Hostal Jimesson, qui vous ravira à coup sûr. En pénétrant au rez-de-chaussée, vous ne pourrez manquer la belle sélection de meubles antiques qui ornent chacune des salles. Les chambres, pour leur part, sont situées à l'étage et, bien qu'elles ne soient pas pourvues d'un beau mobilier ancien, elles sont accueillantes et bien tenues.

Puerto Plata
35$

ℜ, ≈, ≡, ⊗
sur le Malecón
☎ 586-2588
⇆ 586-8646

Le Puerto Plata est un hôtel de construction récente situé le long du Malecón. À première vue, ce petit hôtel pourrait paraître sans charme, mais, grâce à son agréable jardin en retrait de l'animation, il s'agit d'un endroit sympathique où loger. Il possède en outre des chambres joliment aménagées.

Puerto Plata Beach and Casino Resort
130$ tout compris

≡, ≈, tv, ℜ, ⊛, ♠
sur le Malecón
☎ 320-4243

Le Puerto Plata Beach and Casino Resort est de loin le complexe hôtelier le plus luxueux de la ville. Ses

Détail du Panthéon national de Santo Domingo,
mémorial des héros dominicains. - *Claude Hervé-Bazin*

Boutiques de Puerto Plata où se côtoient bijoux, souvenirs et divers autres objets.
- *T. Philiptchenko*

Les rues de Puerto Plata offrent souvent des symphonies de couleurs et d'odeurs.
- *T. Philiptchenko*

excellents restaurants, ses superbes jardins fleuris, son casino, ses piscines et les nombreuses activités sportives qui y sont organisées en font un endroit fort agréable pour les vacances. Les jolies chambres, regroupées dans de petits pavillons aux couleurs pastel, sont munies de balcons. On organise des spectacles en soirée, et des navettes relient chaque jour cet hôtel aux principales plages. Il est fortement recommandé de réserver à l'avance pour les mois d'hiver.

Playa Cofresí

Hacienda Resorts
tout compris
☎320-8308
≈320-0222

Un des plus récents des grands complexes hôteliers de la République dominicaine a vu le jour en bordure de la Playa Cofresi, tout juste à l'ouest de Puerto Plata. Véritable village touristique en soi, l'Hacienda Resorts regroupe pas moins de cinq hôtels (ci-dessous), qui ont tous leurs caractéristiques propres afin de répondre aux attentes les plus variées des voyageurs.

Garden Club
ℜ, ⊗

Le Garden Club est constitué de jolis pavillons qui s'apparentent plus à de simples et confortables petits chalets qu'à des chambres d'hôtel modernes. Ainsi, sur cette portion du site, il règne une ambiance intime.

Elizabeth
≈, ⊗, ≡, ℜ

L'Elizabeth, pour sa part, plaira aux personnes qui souhaitent loger dans un bel hôtel de petite taille, mais offrant un bon confort et profitant d'un vaste et agréable jardin. Il se distingue par son bâtiment à l'architecture vaguement espagnole, qui n'abrite que 18 chambres et ne manque pas de charme.

Andrea
≈, ⊗, ≡, ℜ

L'Andrea, d'apparence plus moderne, dispose de deux belles piscines.

Tropical
≈, ⊗, ≡, ℜ

Le plus chic de ces hôtels, le Tropical est construit à côté de la plage. Outre de splendides chambres et une formidable piscine, il possède un beau jardin donnant sur la Playa Cofresi.

Villas de Luxe
≈, ⊗, ≡, ℂ

Enfin, les Villas de Luxe ne se présentent pas vraiment comme un hôtel, mais plutôt comme un petit village de rêve comprenant de superbes résidences réparties sur une vaste propriété vallonnée. Ses concepteurs se sont véritablement surpassés, car le site a été conçu de façon à ce que chacune des maisonnettes soit bien isolée l'une de l'autre pour offrir de l'intimité. Chacune d'entre elles comprend quelques chambres, de sorte qu'il est possible d'y résider en famille. Toutes ont leur propre terrasse d'où la vue est splendide, une cuisinette ainsi qu'une piscine privée. Une attention particulière a été apportée à un autre aspect très important de ce complexe «tout compris» : les restaurants, où l'on sert toujours un buffet présentant une bonne sélection de délicieux plats. Une dernière remarque : tous les résidants ont accès à la belle Playa Cofresi.

Playa Dorada

Les hôtels de Playa Dorada sont tous de niveau international. On y propose des chambres climatisées et confortables, et ils comptent toujours au moins une piscine, quelques restaurants et salles à manger, des bars et boîtes de nuit, des boutiques et souvent un casino. Les prix ne varient guère d'un hôtel à l'autre, entre le Heavens, le plus abordable, et le Jack Tar Hotel, le plus onéreux. Plusieurs établissements proposent la formule tout compris, qui inclut les trois repas de la journée, toutes les boissons locales, les taxes et les services. Si vous arrivez sans réservation, attendez-vous à payer en moyenne 110$ par personne (un peu moins en basse saison), ou davantage si vous désirez loger dans un studio ou un appartement de luxe.

Pour les séjours d'une semaine et plus, il est souvent plus économique de réserver par l'entremise d'un agent de voyages de votre pays, celui-ci bénéficiant d'entente de commercialisation. En outre, un certain nombre d'hôtels ont signé des ententes qui les empêchent de recevoir des clients n'ayant pas d'abord réservé à partir de leur pays d'origine. Enfin, n'oubliez pas qu'au cours des mois d'hiver vous courez toujours le risque que les hôtels soient tous complets.

Flamenco Beach Resort
tout compris
≡, ≈, ℜ, ⊗
☎*320-6319*
₌*320-6319*

Le Flamenco Beach Resort est un grand complexe à l'architecture d'inspiration vaguement espagnole, comprenant plusieurs villas blanches avec grands balcons. L'utilisation des boiseries dans la décoration du petit hall d'entrée, du bar, du restaurant et des divers autres bâtiments crée un effet assez réussi et chaleureux. L'hôtel a un accès à la plage et le service est attentionné.

Heavens
tout compris
≡, ≈, ℜ, ⊗
☎*562-7475*
₌*566-2436*
₌*566-2354*

Le Heavens compte deux groupes de bâtiments construits visiblement à des époques différentes. L'endroit est agréable même si certains bâtiments sont quelque peu serrés les uns contre les autres. Il se dresse à proximité du terrain de golf et à une distance raisonnable de la plage, qu'on peut atteindre grâce à un petit sentier.

Jack Tar Village
tout compris
≡, ≈, ℜ, ⊗
☎*320-3800*
☎*800-999-9182*
₌*320-4161*

Le Jack Tar Village occupe un très vaste terrain bien aménagé. Les chambres sont réparties dans de charmantes villas qui forment, comme son nom l'indique, un genre de petit village. Le Jack Tar est particulièrement recommandé aux amateurs de tennis, car il compte un très grand nombre de courts et est également situé tout près du golf et de la plage. Plusieurs le considèrent comme le complexe le plus luxueux de Playa Dorada.

⚓ Paradise Beach Club and Casino
tout compris
≡, ≈, ℜ, ⊗, ♠
☎*800-752-9236*
₌*586-4858*

Le Paradise Beach Club and Casino compte 436 logements regroupés au sein de quelques beaux bâtiments joliment décorés de boiseries. Les concepteurs de ce complexe ont vraiment fait des efforts pour en mettre plein la vue; l'aménagement réussi de jardins extrêmement luxuriants, de plans d'eau et de chutes, mais aussi les piscines aux formes étranges et amusantes valent vraiment le coup d'œil. Ce complexe original

Hébergement

et chaleureux propose des chambres confortables et donne directement sur la plage.

Playa Dorada Hotel
tout compris
≡, ≈, ℜ, ⊗, ♠
☎ 320-3988
☎ 800-423-6902
⊯ 320-1190

Le Playa Dorada Hotel comprend 254 chambres agréablement décorées, dont certaines ont une belle vue sur l'océan. Cet hôtel aux bâtiments quelconques et vieillots donne directement sur la plage. On y trouve un casino, des restaurants, un café, plutôt joli, et un piano-bar.

Playa Naco Golf and Tennis Resort
tout compris
≡, ≈, ℜ, ⊗
☎ 320-6226
⊯ 320-6225

Le Playa Naco Golf and Tennis Resort comporte une imposante façade ornée de colonnades et un hall d'entrée de taille impressionnante qui s'ouvre sur une piscine de très grande dimension autour de laquelle se passe toute l'animation. Les confortables chambres du complexe ont été aménagées dans le bâtiment qui ceinture la piscine et dans plusieurs autres constructions réparties sur une grande propriété. Le Naco dispose notamment de nombreux courts de tennis.

Puerto Plata Village
tout compris
≡, ≈, ℜ, ⊗
☎ 320-4012
⊯ 320-5113

Le Puerto Plata Village propose de mignonnes maisonnettes, certaines aux couleurs pastel, d'autres aux teintes plus vives, toutes munies d'un balcon ou d'une terrasse. Le complexe est agréablement situé dans un grand jardin très aéré, à proximité du golf et à une distance raisonnable de la plage. On y offre un service de qualité.

Villas Doradas
tout compris
≡, ≈, ℜ, ⊗
☎ 320-3000
⊯ 320-4790

Les Villas Doradas comptent plusieurs immeubles à étages, chacun comprenant quelques chambres avec balcon autour d'un grand jardin tropical. Le hall d'entrée dispose d'une aire ouverte meublée de chaises de rotin où il fait bon se détendre. Le sentier qui traverse un sous-bois et un petit étang permet d'accéder à la plage.

Hébergement

Gran Ventana

tout compris

≈, ≡, ℜ

☎412-2525

╛412-2526

Plus récent hôtel de Playa Dorada, le Gran Ventana est un complexe hôtelier dont les bâtiments aux couleurs chaudes ont été érigés sur un grand terrain donnant sur la mer. Au centre de ce petit village se trouve une très grande piscine, autour de laquelle se déroule l'essentiel des activités de la journée. Une attention particulière a été apportée à la décoration, de sorte que les chambres sont toutes spacieuses et pourvues de vastes baies vitrées; elles arborent de belles couleurs antillaises. Les restaurants de Gran Ventana sont reconnus pour la qualité de leur cuisine.

Victoria

tout compris

≡, ≈, ℜ

☎320-1200

╛320-4862

Si vous n'avez nullement envie de passer vos vacances dans un établissement où règne en permanence une joyeuse animation, optez pour le Victoria. Il n'a pas l'avantage d'être construit directement en bordure de mer, mais profite d'un site paisible à côté du terrain de golf. Comme pour affirmer son intention d'être un site paisible, son bâtiment est sobre. Ses chambres n'en sont pas moins très confortables et élégantes. Enfin, de l'avis de plusieurs, il s'agit de l'un des hôtels de Playa Dorada où l'on mange le mieux.

Sosúa

Sosúa, haut lieu du tourisme de la côte Atlantique, propose des lieux d'hébergement pour tous les goûts et budgets. La plupart des hôtels de la ville se trouvent dans le quartier El Batey, du côté est de la Playa Sosúa. Aucun ne dispose d'un accès direct à la Playa Sosúa, mais ils en sont tous à une distance raisonnable à pied. Quelques hôtels donnent toutefois directement sur la petite Playa Libre. Enfin, on peut loger dans la région immédiate de Sosúa, dans quelques grands complexes construits à l'est et à l'ouest de la ville, le long de l'océan. Pendant la saison estivale, alors que les hôtels ne sont pas emplis à pleine capacité, n'hésitez pas à négocier pour obtenir de meilleurs tarifs.

Koch's Guest House

25$

≡, ℂ

près de Calle Dr Martínez, El Batey

☎571-2284

La Koch's Guest House compte quelques petites

cabañas propres, chacune disposant d'une cuisinette. Les *cabañas* sont réparties sur un étroit terrain bien entretenu dont l'extrémité donne sur l'océan. Sans être très luxueux, le Koch's propose un rapport qualité/prix raisonnable et beaucoup de tranquillité, bien qu'il ne soit qu'à quelques pas des rues les plus achalandées de la ville. Le propriétaire est, à l'occasion, un peu bourru.

Voramar
35$
ℜ, ≈, ≡, ⊗
à l'extrémité est de Sosúa
☎ *571-3910*
⇄ *571-3076*
En s'éloignant du cœur de la ville, à environ 500 m des derniers établissements longeant la Playa Libre, il est possible de loger dans quelques hôtels pas très chers, bien tenus et paisibles, notamment le Voramar. Il renferme des chambres grandes et confortables qui disposent d'un balcon. Quelques hôtels de même catégorie se trouvent à proximité. Pas très loin, vous pourrez vous rendre à d'étroites plages de sable. En moto ou en voiture, la plage de Sosúa n'est qu'à quelques minutes.

Yaroa
35$
≡, ≈, ℜ
Calle Dr. Rosen
☎ *571-2651*
⇄ *571-3814*
Situé sur une rue relativement peu fréquentée, le Yaroa bénéficie d'un site paisible, mais ses chambres présentent un décor vétuste.

Pensión Anneliese
40$
⊗, ℝ, ≈
Calle Dr. Rosen El Batey
☎ *571-2208*
Une bonne adresse pas très chère, la Pensión Anneliese dispose d'une dizaine de chambres très propres et chacune est munie d'un balcon et d'un réfrigérateur. Les chambres à l'avant offrent une belle vue sur l'océan, qui n'est qu'à quelques centaines de mètres. L'endroit est très calme, bien qu'il soit tout près du cœur de Sosúa, et comporte une agréable piscine dans le petit jardin arrière. On sert, le matin, de copieux et bons petits déjeuners (3$ et plus). La Pensión Anneliese est gérée par un couple d'origine allemande qui habite Sosúa depuis plus de 15 ans.

Hotel Sosúa
45$ pdj
≡, ≈, ℝ, ℜ, tv
Calle Alejo Martínez
☎ 571-2683
☎ 571-3530
≈ 571-2180

L'Hotel Sosúa est aménagé dans un bâtiment moderne au centre de Sosúa, sur une artère trépidante. Les chambres sont agréables et sont munies d'un balcon ou d'une terrasse.

Hotel Waterfront
50$
⊗, ≈, ℜ, ℝ
1 Calle Dr. Rosen, El Batey
☎ 571-2670
≈ 571-3586

L'Hotel Waterfront, également connu sous le nom de «Charlie's Cabañas», loue de petites maisonnettes de stuc blanc dans un jardin en bordure de l'océan. Sans être très luxueux, l'endroit est confortable et a du charme, disposant d'un agréable restaurant, d'un bar et d'une petite piscine. Il est situé tout juste à côté de la Pensión Anneliese et, comme celle-ci, est suffisamment retiré du cœur de Sosúa pour bénéficier d'une bonne tranquillité.

🚢 Pierfiorgio Palace Hotel
≈, ≡, ℜ
☎ 571-2215
≈ 571-2786
www.pierfiorgio.com

Très réputé à Sosúa pour le site exceptionnel de son restaurant, le Pierfiorgio est dorénavant connu pour être aussi un élégant hôtel, depuis la construction toute récente du Pierfiorgio Palace Hotel. Son magnifique bâtiment de style colonial, de deux étages, est élégamment pourvu de longs balcons et se dresse de telle sorte que les chambres ont une belle vue sur les flots. Les chambres, garnies de meubles de rotin et de toiles de peintres haïtiens, sont grandes, propres, et possèdent une salle de bain spacieuse. Autour s'étend un plaisant jardin où nichent la piscine et les bassins à remous.

Hotel Playa de Oro
60$
≈, ℜ, tv, ≡
☎ 571-0880
≈ 571-0871

L'Hotel Playa de Oro propose l'hébergement dans des chambres au confort très convenable. L'hôtel s'élève devant une belle plage de sable blanc qui s'allonge entre Cabarete et Sosúa.

🚢 Marco Polo Club
80$
ℜ, ℂ, ⊗, ≈, ⊗, ≡
au bout de la Calle Alejo Martínez
☎ 571-3128
≈ 571-3233

Disposant d'une vue imprenable sur la baie de Sosúa, le Marco Polo Club est un joli petit hôtel construit sur un site bien aménagé à flanc de falaise. Bien qu'il se trouve pratiquement au cœur de la ville, vous vous y sentirez tout de même loin du brouhaha de Sosúa. Il propose des appartements tout à fait charmants, avec plusieurs pièces joliment décorées dont une cuisinette, un salon, une chambre à coucher et une grande salle de bain comprenant une baignoire à remous. Tous les logis disposent d'un balcon ayant vue sur la mer.

Larimar Beach Resort
90$ pdj
≡, ≈, ℜ, *bp, tv*
Playa Libre, El Batey
☎ *571-2868*
⇄ *571-3381*
Donnant aussi accès à la Playa Libre, le Larimar Beach Resort est un complexe hôtelier moderne et confortable proposant tous les services. Ses quelques bâtiments construits en hauteur sont bordés d'un grand jardin de plantes et d'arbres tropicaux. La plupart des chambres disposent d'un balcon ou d'une terrasse.

Bella Vista Hotel
90$ tout compris
≈, ℜ, ≡
en direction de Cabarete
☎ *571-0878*
⇄ *571-0767*
Tout juste à côté de l'Hotel Playa de Oro, le Bella Vista Hotel est un établissement

de même catégorie proposant une formule d'hébergement tout compris. Les chambres, munies d'un balcon, sont réparties au sein de deux rangées de bâtiments d'aspect plutôt simple. L'arrière de l'hôtel donne directement sur la plage de sable blanc.

Club Marina
120$ tout compris
≡, ≈, ℜ, *tv*
Calle Alejo Martínez
☎ *571-3939*
⇄ *571-3110*
Le Club Marina constitue un bel hôtel d'une trentaine de chambres confortables et modernes. L'endroit est calme, pourvu d'une piscine et situé tout près de la Playa Libre, et à quelques minutes de marche de la Playa Sosúa.

Sosúa By The Sea
125$ ½p
≡, ≈, ℜ, *tv*
Playa Libre, El Batey
☎ *571-3222*
⇄ *571-3020*
Le Sosúa By The Sea, un joli complexe hôtelier à la décoration bien réussie, s'ouvre sur un petit jardin tropical aménagé avec goût, une piscine et un restaurant avec une belle vue sur l'océan. En empruntant un escalier en bois, on a accès à la jolie Playa Libre, souvent plus propice à la détente que la Playa Sosúa. Le centre de Sosúa n'est qu'à quelques minutes à pied.

Les hôtels Club Marina, Casa Marina Beach Club et Casa Marina Reef ont le même propriétaire. Aussi, quel que soit celui de ces trois établissements où vous logez, vous pourrez profiter de la plage et des installations du Casa Marina Beach Club.

Casa Marina Reef
120$
≡, ≈, ℜ
☎ 571-3690
⊷ 571-3110

Tout nouvel hôtel à Sosúa, le Casa Marina Reef a été construit à côté des deux autres établissements Marina. Il profite d'un beau site, au sommet de falaises d'où le regard peut aisément embrasser la mer. De là-haut, la plage n'est pas très loin car un petit sentier y mène. On pourrait déplorer l'aspect un peu trop béton du bâtiment qui renferme les chambres, mais ces dernières n'en offrent pas moins un confort irréprochable et une jolie décoration.

Casa Marina Beach Club
130$ tout compris
≡, ≈, ℜ
Playa Libre, El Batey
☎ 571-3690
☎ 571-3691
☎ 571-3692
⊷ 571-3110

Comptant parmi les établissements les plus confortables de Sosúa, le Casa Marina Beach Club dispose de

l'accès le plus direct à la petite Playa Libre. On y propose des chambres bien aménagées, dont plusieurs sont orientées pour offrir une vue sur l'océan, dans un grand complexe composé de quelques bâtiments aux couleurs pastel. Service particulièrement attentionné et professionnel. Le Casa Marina est souvent complet en hiver. Par contre, pendant les autres mois de l'année, il est possible d'y négocier les prix des chambres.

Sol de Plata Beach Resort
140$ tout compris
≡, ≈, ℜ, tv
à l'est de Sosúa
☎ 571-3600
⊷ 571-3380

Situé à quelques kilomètres à l'est de Sosúa, le Sol de Plata Beach Resort constitue un immense complexe hôtelier où l'on peut louer des chambres, des suites ou des villas. L'ensemble est moderne et donne sur une plage privée. On y organise une foule d'activités sportives et des spectacles en soirée. Une navette permet à la clientèle de se rendre à Sosúa et à Cabarete.

Punta Goleta Beach Resort
180$ tout compris
≡, ≈, ℜ
☎ 571-0700
⊷ 571-0707

Le Punta Goleta Beach Resort, un grand complexe hôtelier isolé des centres de villégiature, est situé sur la route entre Sosúa et Cabarete. On y retrouve tous les services des complexes de luxe: multiples restaurants et bars, piscine, activités sportives et spectacles organisés sur place, etc. L'hôtel est bien aménagé et confortable, mais construit du côté opposé à l'océan; afin de pallier cet inconvénient, un petit pont enjambant la route a été construit.

Cabarete

En raison de sa popularité croissante, Cabarete dispose désormais d'un bon choix de lieux d'hébergement. La plupart des hôtels proposés sont de bonne qualité, et quelques-uns offrent un plus grand luxe. Si vous arrivez à Cabarete durant les mois d'été, n'hésitez pas à visiter plus d'un établissement et à négocier le prix avant de faire votre choix.

Caribe Surf Hotel
36$
≈, ⊗, ℜ
☎ 571-0788
⊨ 571-3346

Le Caribe Surf Hotel est construit directement sur la plage, mais à l'extrémité est de la ville, au cœur d'un petit quartier résidentiel éloigné de l'animation touristique. Il n'a rien à voir avec les grands complexes hôteliers luxueux; il a plutôt des allures de petite

auberge sympa où règne une chouette ambiance de vacances à la plage. Les chambres sont sommairement décorées, mais elles sont bien tenues et d'un confort tout à fait adéquat.

Albatros
50$
ℂ, ≡, ≈
entrée ouest de Cabarete
☎ 571-0841

L'un des premiers établissements à l'entrée de Cabarete, l'Albatros est un bel hôtel pourvu d'un joli jardin tropical au milieu duquel se trouve une piscine bien aménagée. Les chambres sont bien équipées et dotées d'un bon éclairage naturel. Chacune d'entre elles dispose d'un balcon ou d'une terrasse. L'Albatros est de construction assez récente.

Apart Hotel Cita del Sol
60$
≈, ℂ, ⊗
au centre de Cabarete
☎ 571-0720
⊨ 571-0795

L'Apart Hotel Cita del Sol propose des appartements propres, mais à la décoration un peu quelconque. Ils sont de bonnes dimensions et peuvent loger les familles.

Villa Taïna
65$

≡

☎ *571-0722*
≏ *571-0883*

Le Villa Taïna, un charmant petit hôtel de 16 chambres, n'a pas l'avantage d'être construit directement au bord de la plage, mais il s'en trouve néanmoins à courte distance. Toutefois, ce qui distingue avant tout cet hôtel est la qualité de ses chambres, toutes coquettement aménagées, vastes et fort bien entretenues.

Cabarete Beach Hotel
70$

≡, ⊗

☎ *571-0755*
≏ *571-0831*

En plein centre de la ville et directement au bord de la plage se dresse le Cabarete Beach Hotel, un bel hôtel d'un bon confort. Certes, à certaines heures, il se retrouve au cœur de l'animation, mais l'aménagement soigné des lieux parvient à la faire oublier. Les 24 chambres spacieuses présentent toutes une belle décoration et sont bien tenues. La plage qui s'étend au pied des bâtiments, et à laquelle on accède aisément, ajoute aux qualités de cet établissement.

Windsurf Resort
70$

⊗, ≈, ℜ, ℝ, ℂ
au centre de Cabarete
☎ *571-0718*
≏ *571-0710*

Le Windsurf Resort dispose d'appartements tout équipés. L'ensemble des chambres viennent d'être rénovés et sont tout à fait convenables pour un séjour de moyenne ou longue durée. Des tarifs pour des locations de plus d'une semaine sont proposés. Le jardin comporte une piscine où sont organisées des activités nautiques.

El Pequeño Refugio
79$ pdj

≡, ℜ, ⊗
☎/≏ *571-0770*

El Pequeño Refugio constitue un autre sympathique hôtel à connaître si vous êtes prêt à loger au centre-ville. Mais n'ayez crainte car, malgré son emplacement, l'ensemble du site a été conçu pour isoler au mieux les vacanciers de la rue. Ainsi, la majorité des chambres s'ouvrent sur les flots, procurant une bonne tranquillité et une belle vue. Toutes sont bien tenues et ont un accès au long balcon commun qui donne également sur la plage. Un petit jardin et la plage parviennent à créer un environnement agréable.

Las Orquideas de Cabarete

80$ tout compris
ℂ, ⊗, ≈, ℜ
à l'est de Cabarete
☎ 571-0787
≈ 571-0853

Las Orquideas de Cabarete propose un hébergement tout à fait convenable et à bon prix dans des chambres confortables et propres. L'arrière de l'hôtel cache un beau jardin tropical à la végétation luxuriante au milieu duquel trône la piscine. L'endroit conviendra à ceux et à celles qui sont en quête de tranquillité. Cet établissement n'est qu'à quelques minutes de marche de la plage de Cabarete; il semble pourtant très calme. Pour vous y rendre, empruntez le petit chemin de quelques centaines de mètres du côté est de la ville. Notez que quelques suites sont munies d'une cuisinette.

Casa Laguna Hotel & Resort

165$ tout compris
≡, ≈, ℂ, ℜ
au centre de Cabarete
☎ 571-0725
≈ 571-0704

La Casa Laguna Hotel & Resort compte plusieurs studios modernes et très confortables, chacun étant doté d'un balcon ou d'une terrasse. C'est l'un des établissements les plus luxueux de Cabarete et, malgré sa situation très centrale, on a réussi à y créer un bel environnement naturel. Il est tout à fait conseillé d'y réserver à l'avance, hiver comme été.

Amhsa Estrella del Mar

170$
≈, ≡, ℜ
☎ 571-0808
≈ 571-0904

Le développement touristique qu'a connu Cabarete ces dernières années a favorisé l'émergence de complexes hôteliers proposant la formule «tout compris». Dernier-né de ces établissements, l'hôtel Amhsa Estrella del Mar se compose de plusieurs grands bâtiments répartis dans un vaste jardin qui donne sur une belle plage de sable blanc. Il comprend plusieurs chambres, simplement meublées, mais agréables du fait de leurs bonnes dimensions et de leur petit balcon. Bien qu'il soit situé au centre-ville, les vacanciers y profitent d'un site paisible.

Las Palmas Beach Resort

170$
≈, ⊗, ℝ
☎ 571-0780
≈ 571-0781

Sans que l'animation de Cabarete soit intolérable, il demeure que son centre-ville est, à certaines heures, trépidant. Certains pourront dès lors préférer loger à l'extérieur de la ville, question de s'assurer une meilleure tranquillité. Le Las Palmas Beach Resort, construit à environ 1 km à l'est de la ville, constitue une bonne alternative. Construit directement au bord de la plage, comptant une dizaine de bâtiments modernes hauts de deux étages et possédant un joli jardin, il a tout pour plaire. Il abrite des chambres simplement décorées, mais parfaitement adéquates pour assurer à chacun un séjour agréable. Sachez qu'il faut toutefois être prudent lors de la baignade car les courants sont parfois forts sur cette partie de la côte.

Río San Juan

Apart-Hotel San José
14$

⊗

en face de la lagune

L'endroit le moins cher de la région pour loger est l'Apart-Hotel San José, qui propose des chambres au confort minimal.

Río San Juan
30$

≡, ≈, ℜ

rue Duarte

☎ *589-2379*

☎ *589-2211*

☎ *588-2600*

⇔ *589-2534*

L'hôtel Río San Juan occupe un grand emplacement en plein cœur de la ville. L'utilisation de boiseries dans la décoration de l'hôtel y crée une ambiance

chaleureuse, tandis que les jardins et le restaurant situés derrière l'hôtel sont très mignons. Par contre, les chambres, bien que propres, sont aménagées de façon plutôt austère. Le Río San Juan a connu de meilleurs jours.

Bahía Blanca
35$

⊗, ℜ

rue G.F. Deligne

☎ *589-2563*

⇔ *589-2528*

Véritable petit paradis sous les tropiques, l'hôtel Bahía Blanca est un endroit tout désigné pour un séjour paisible à Río San Juan. Il est situé sur une artère très tranquille de la ville, légèrement en retrait du centre, sur un site bordé de petites plages. L'aménagement du Bahía Blanca a été très joliment conçu et permet une vue exceptionnelle sur l'océan depuis son hall d'entrée, son restaurant et ses terrasses. Les chambres sont tout à fait adéquates. Comme il ne s'agit pas d'un hôtel de grande capacité, la tranquillité y règne, tout comme l'atmosphère conviviale. À votre demande, le personnel du Bahía Blanca peut organiser une foule d'activités permettant de mieux découvrir la région, comme des excursions à cheval. On peut également louer de petites chambres *(25$)*.

🛳 Bahía Principe
180$ tout compris
ℜ, ≈, ≡, ⊗
☎ 226-1590
📠 226-1994

Au bord d'une magnifique plage de sable doré, sur un site qu'il est le seul à occuper, s'élève le complexe hôtelier Bahía Principe. Une attention toute particulière a été apportée à son aménagement afin que les visiteurs profitent non seulement de chambres tout confort, mais aussi d'un environnement splendide qui en fait un véritable petit paradis sous les tropiques. Les bâtiments sont entretenus avec soin, le jardin tropical s'égaye de mille fleurs et la réception est accueillante. Même le petit complexe de boutiques a été construit avec un étonnant souci du détail, chacune étant aménagée dans une mignonne maisonnette créole aux couleurs vives. L'endroit est véritablement de toute beauté. Tennis.

Playa Grande

Caribbean Village
190$ tout compris
≈, ≡, ℜ
☎ 582-1170
📠 582-6094

Le Caribbean Village est un grand complexe hôtelier construit à proximité de la superbe Playa Grande, l'une des plages les plus idylliques du pays. Le complexe se compose de quelques grands bâtiments avec des chambres toutes très confortables, modernes et spacieuses. Chacune d'elles est munie d'un balcon, et la vue sur l'océan, à partir des chambres à l'arrière, est magnifique. Le Caribbean dispose de courts de tennis, d'une agréable piscine, de restaurants, de bars et d'une discothèque, et organise une foule d'activités sportives, d'excursions et des spectacles en soirée. Du complexe, un escalier permet d'accéder à la magnifique plage où a été aménagé un agréable petit resto-bar. Le Caribbean Village propose une formule «tout compris» qui inclut les trois repas et toutes les boissons locales.

Cabrera

🛳 La Catalina
60$
⊗, ℂ, ℜ, ≈
en direction de Cabrera
☎ 589-7700
📠 589-7550

Un peu en retrait de la route de Cabrera, sur le flanc d'une colline d'où l'on peut apercevoir l'océan au loin, La Catalina est une merveilleuse auberge entourée de magnifiques jardins tropicaux. De la terrasse de sa salle à manger, à la cuisine réputée, on peut sentir une brise rafraîchissante et jouir d'un remarquable panorama de la région. Cet élégant petit complexe hôtelier comprend à la fois des chambres bien tenues et joliment meublées, et des appartements de une ou deux chambres. La clientèle peut se rendre en taxi aux plages et aux villages de la région.

Nagua

Carib Caban
25$
⊗, ℜ
à un peu moins de 10 km de Nagua en direction de Samaná
☎ 543-6420
≈ 584-3145

Si vous décidez de visiter la région pour plus d'une journée, il est préférable de loger à l'extérieur de la ville, qui offre peu de choix, ou encore dans un des établissements qui bordent la route de la péninsule de Samaná. L'un de ces lieux d'hébergement est l'hôtel Carib Caban. L'établissement dispose de chambres et de villas assez bien tenues qui donnent sur une belle plage sauvage et peu fréquentée.

Restaurants

Des petites cafétérias servant des plats locaux et peu chers aux restaurants gastronomiques proposant des plats raffinés, il existe au pays quantité d'adresses pouvant répondre aux goûts de tous les voyageurs.

Le choix sera particulièrement varié si vous vous trouvez à Santo Domingo, dans les grandes villes ainsi que près des villages touristiques. Ailleurs cependant, il vous faudra souvent vous contenter des spécialités du pays.

En règle générale, le service est toujours très courtois et attentionné, qu'il s'agisse d'un petit ou d'un grand établissement. Au prix du repas, s'ajoutent une taxe de 8% et le service de 10%, compté d'office.

La cuisine dominicaine

Peu épicée, la cuisine dominicaine est avant tout une cuisine simple et nourrissante, préparée à partir des produits disponibles sur place. Les plats, souvent à base de poisson, de bœuf, de poulet ou de fruits de mer, apprêtés avec du riz, des fèves ou des plantains, composent souvent l'essentiel des menus. En visitant quelques-uns des restaurants, vous aurez certainement la chance de goûter quelques-unes des spécialités du pays, comme le *mondongo*, l'*asopao* ou le *sancocho* (voir p 148).

Quelques entreprises fabriquent des bières en République dominicaine dont la Quisqueya, la nouvelle Soverana et l'El Presidente. Toutes trois sont de bonne qualité, mais la plus prisée est l'El Presidente. Bon nombre d'hôtels et de restaurants proposent également des bières importées.

Les vins sont nettement moins populaires en République dominicaine, et il n'existe pas de réelle production locale. Les vins importés proposés dans les restaurants étant relativement chers (surtout les vins français), nous vous conseillons d'essayer les vins chiliens, dont le rapport qualité/prix est généralement bon.

Le rhum, ambré, blanc, brun ou vieux, servi en apéritif ou comme digestif, est sans conteste l'alcool le plus prisé des Dominicains. En vente partout (parfois plus facile à trouver que l'eau embouteillée), il est au cœur de la vie des habitants depuis que l'on cultive la canne à sucre au pays, et l'on sait bien le faire. Que l'on vous serve le rhum Brugal Extra Viejo ou le Ron Bermúdez, vous ne

pourrez que vous réjouir devant ce nectar doré.

Puerto Plata

La ville de Puerto Plata regorge d'une myriade de restaurants à la cuisine et aux prix variés. Les meilleurs établissements se regroupent principalement dans la zone hôtelière. Par contre, au centre-ville, un grand nombre de petits restaurants servent une nourriture simple et bon marché. Le soir, la promenade qui longe l'océan est envahie par de multiples étals proposant des repas légers ou des friandises diverses.

Helado Bon
$
au coin de la Calle Separación et de la Calle Beller
Pour faire une halte rafraîchissante lors d'une balade dans les rues de Puerto Plata, rien de mieux que le Helado Bon, où sont apprêtées de très bonnes glaces. Il est situé directement dans le parc Duarte. Ce quartier compte plusieurs autres petits restaurants.

Plaza Café
$
sur la Calle 30 de Marzo, près de la Calle Beller
Le Plaza Café est un petit restaurant plein d'ambiance servant du *pica pollo* et du poisson. On peut manger

en plein air, et la rue qui longe le restaurant est tranquille.

Jarvis
$-$$

Malecón, angle José R. López

☎ *320-7265*

Profitant d'un bon emplacement, directement sur le Malecón, le Jarvis est parfait pour qui cherche à prendre un repas simple, les sandwichs et surtout les pizzas occupant une bonne place sur le menu. Vous prendrez votre repas sur la terrasse au toit de palmes, un peu en retrait de la rue, de sorte que vous profiterez d'une bonne tranquillité.

Sam's Bar and Grill
$-$$

Le Sam's Bar and Grill est un petit restaurant fort sympathique au cœur de la trépidante vie dominicaine de Puerto Plata. On s'y rend pour savourer un repas simple (hamburger, steak) dans une atmosphère jeune et sans façon.

Polanco
$$

25 John F. Kennedy

☎ *586-9174*

Le Polanco, petit resto sympa, se distingue par ses plats de fruits de mer (notamment de la langouste) à des prix plus que raisonnables. Sa terrasse au toit de palmes et son service accueillant ajoutent au charme de l'endroit.

Portofino
$$

sur l'avenue Mirabal

Le Portofino est un joli restaurant entouré de verdure et situé au centre de la zone hôtelière. Son menu se compose surtout de pizzas et de plats italiens assez bien réussis. Il dispose d'une salle à manger et d'une terrasse qui donne sur la rue.

La Ponderosa
$$-$$$

156 Calle 12 de Julio

☎ *586-1597*

Réputé pour la qualité de ses plats dominicains, de ses poissons et de ses fruits de mer, La Ponderosa saura vous mettre en appétit. Ce petit resto à l'ambiance décontractée, pourvu d'une jolie terrasse extérieure qui donne sur la rue, compte parmi les établissements agréables de Puerto Plata.

Neptune
$$$

dans l'enceinte de l'hôtel Puerto Plata Beach and Casino Resort

Le Neptune est le restaurant le plus réputé à Puerto Plata pour les fruits de mer et poissons. L'atmosphère est feutrée et le service, de qualité.

Voici un petit lexique pour vous aider à déchiffrer les menus des restaurants:

Agua	eau
Ajo	ail
Almuerzo	déjeuner
Asopao	plat à base de tomates, de riz, de fruits de mer ou de poisson
Arroz	riz
Batida	boisson à base de jus de fruits, de glace et de lait
Camarones	crevettes
Carne	viande
Carne de res	bœuf
Cena	souper
Cerveza	bière
Chichearón	viande ou poulet mariné et cuit
Chivo	chevreau
Chuleta	côtelette
Conejo	lapin
Desayuno	petit déjeuner
Empanadas	petits chaussons farcis avec de la viande ou des légumes
Filete	bifteck
Granadilla	grenadine
Habichuela	plat de fèves
Habichuela con dulce	fèves rouges sucrées (pendant la semaine de Pâques seulement)
Huevo	œuf
Jalao	noix de coco et mélasse
Jamón	jambon
Jugo	jus
Lambi	petits mollusques (parfois nommés «lambis» en français)
Langosta	langouste
Leche	lait
Limón	citron
Mangu	bananes vertes et viande
Mariscos	fruits de mer
Masitas	farine, noix de coco et cassonade

Mofongo	bananes mûres avec sésame grillé
Mondongo	tripes
Naranja	orange
Pan	pain
Papas fritas	pommes de terre frites
Postulad	pâte de blé fourrée aux fruits de mer, à la viande ou aux légumes
Pescado	poisson
Pica pollo	poulet frit
Piña	ananas
Plátanos fritos	bananes frites
Pollo	poulet
Postre	dessert
Queso	fromage
Sancocho	plat de viande bouillie avec des légumes
Sopa	soupe
Tamarindo	tamarin
Tortilla	omelette
Tostada	pain grillé
Vino	vin
Zanahoria	carotte

Restaurants

Playa Dorada

La vaste majorité des restaurants de Playa Dorada se trouvent à même les hôtels. On y propose une cuisine internationale très variée et souvent d'excellents plats locaux. D'ailleurs, n'hésitez pas à essayer la cuisine dominicaine, généralement délicieuse et peu épicée. Vous pouvez de plus manger de petits plats pas chers à la Plaza Dorada et aux casse-croûte de la plupart des hôtels.

Hemingway's Café
$-$$
Plaza Dorada
☎*320-2230*

À l'extérieur des hôtels, il y a fort peu de restaurants à Playa Dorada. Pour des burgers, steaks, *fajitas*, pâtes, salades ou autres, que vous savourerez dans une ambiance jeune et conviviale, il faut vous rendre au Hemingway's Café. Les soirs de fins de semaine, vous pourrez en outre prendre votre repas tout en écoutant des groupes de musique populaire.

Sosúa

Au fil des années, Sosúa s'est enrichie d'une foule de restaurants pouvant convenir aux goûts et aux budgets de chacun. Si vous désirez manger sur le pouce, des dizaines et des dizaines d'étals installés directement sur la plage servent des rafraîchissements et de petits plats de poisson, de poulet et toutes sortes de mets simples. Vous trouverez également plusieurs petits restaurants sur la rue Dr. Rosen, dans le quartier El Batey, qui, comme ceux des hôtels, proposent généralement une cuisine internationale à prix abordable.

La Crêpe Bretonne
$-$$
Dr. Rosen
La Crêpe Bretonne propose une bonne sélection de crêpes, repas ou desserts. Ce petit restaurant au toit de palmes, comptant une dizaine de tables, est d'abord une bonne adresse pour prendre une bouchée rapide ou un repas léger en soirée.

PJ's
$-$$
Pedro Clisante
On s'y sent certes bien plus aux États-Unis que dans les Antilles, pourtant le PJ's n'en reste pas moins un endroit agréable pour prendre un verre en soirée ou des hamburgers et autres spécialités du répertoire de la cuisine américaine rapide. L'atmosphère est sympathique, et la décoration a bien du cachet.

Rimini Restaurant Pizzería
$-$$
Au deuxième étage d'une maisonnette au toit de palmes, le Rimini vous donnera l'embarras du choix grâce à sa grande variété de pizzas. À ceux qui préfèrent autre chose, on prépare de bons plats de pâtes.

Britania Pub
$$
Pedro Clisante
Si vous faites partie de ces gens qui estiment qu'il n'y a rien de tel, après une journée sous le soleil, que de siroter une bonne bière fraîche, vous devriez aller au Britania Pub. Outre cette boisson au houblon, vous pourrez y faire un bon repas de steak ou de crevettes.

El Coral
$$
au bout de la Calle Alejo Martínez
El Coral propose un menu qui laisse une bonne place aux spécialités dominicaines et aux fruits de mer. On y sert également des petits déjeuners composés de plats copieux de fruits tropicaux, ainsi que des repas plus légers le midi. De la terrasse d'El Coral, amé-

nagée sur un promontoire, la vue sur la baie de Sosúa est remarquable.

La Carreta
$$
Pedro Clisante
☎ *571-1217*

La Carreta est un autre établissement dont le menu affiche une bonne variété de plats, notamment des spécialités italiennes. Vous y passerez une soirée animée, d'autant plus que sa salle à manger donne sur une des rues passantes de la ville; tout en prenant votre repas, vous pourrez donc contempler le va-et-vient de la rue.

Romantica
$$
David Stern
☎ *571-2509*

La salle à manger du Romantica, décorée d'orangé, d'un sol carrelé et d'un joli mobilier, vous plaira. Au menu figurent une belle variété de mets tels que la langouste, le poisson, le steak, les pâtes et la pizza, ainsi que quelques plats issus des traditions culinaires italiennes et allemandes, de quoi plaire à tous.

Waterfront
$$
Calle Dr Rosen, dans l'hôtel Waterfront

Le restaurant de l'hôtel Waterfront propose un menu de repas légers ou plus sophistiqués et de spécialités locales ou internationales. Une fois par semaine, on y prépare un barbecue servi à volonté à prix très raisonnable. C'est un endroit agréable d'où l'on peut avoir une belle vue sur l'océan. Vers la fin de la soirée, le Waterfront devient un bar calme.

El Toro
$$-$$$
David Stern

Même sous le chaud soleil des Antilles, il peut vous prendre une envie d'un steak tendre et juteux. Si tel est le cas, rendez-vous au restaurant El Toro, qui en prépare de délicieux. Vous le dégusterez dans une salle à manger coquettement décorée qui s'ouvre sur la rue. Ouvert en soirée seulement.

La Puntilla de Pierfiorgio
$$-$$$
1 Calle La Puntilla
☎ *571-2215*

La Puntilla de Pierfiorgio mérite au moins une fois une visite lors d'un séjour à Sosúa. Il est, depuis plusieurs années, l'une des adresses les plus prestigieuses de Sosúa, reconnue autant pour sa bonne cuisine italienne que pour la splendeur de son site. Ses terrasses à plusieurs niveaux et ses balcons suspendus au-dessus des flots offrent le point de vue le plus spectaculaire sur Sosúa. Les délicieux plats, sur-

Restaurants

tout italiens, et les fruits de mer sont préparés avec soin. Tentez de vous y rendre un peu avant le coucher du soleil pour pouvoir apprécier le paysage à sa juste valeur.

Cabarete

Le choix de restaurants est bon à Cabarete et peut convenir à tous les budgets. Peut-être parce qu'elle accueille beaucoup de jeunes venus faire de la planche à voile, bon nombre de restaurants donnent directement sur la plage et proposent des menus bon marché. On peut toutefois y trouver quelques restos à la cuisine plus élaborée.

Le Rendez-vous Café
$
au centre
Le Rendez-vous Café est un endroit sympathique où il fait bon se détendre et prendre un rafraîchissement ou un repas léger.

Las Brisas
$-$$
sur la rue principale
☎571-0708
Un toit de palmes, quelques tables et la mer à perte de vue composent l'essentiel du petit resto Las Brisas. Ici, vous savourerez de bons plats, comme une assiette de fruits de mer, une brochette de bœuf ou un spaghetti, les pieds dans le sable, dans une ambiance sympathique et décontractée. Le soir, il se transforme en bar.

Miró
$-$$
Charmant café s'il en est un à Cabarete, Miró se cache derrière une mignonne petite case qui arbore de belles peintures murales s'inspirant de l'œuvre du peintre Juan Miró. Il s'agit d'une charmante introduction à ce café installé sur la plage et proposant un menu sans façon, mais sur lequel figurent des salades, des pizzas et des pâtes.

Casita de Papy
$$-$$$
Aménagée à l'étage d'une petite hutte, la Casita de Papy est un petit restaurant d'aspect fort simple, mais tout à fait charmant. Ne disposant que de quelques tables, d'un ventilateur au plafond et de la plage pour toile de fond, il parvient à créer une ambiance sympathique qui convient parfaitement aux repas de vacances à la plage. La carte affiche bien sûr des spécialités de fruits de mer, langoustes et crevettes. Il est recommandé de réserver; passez en après-midi pour ce faire, car Papy n'a pas de téléphone.

🦐 La Casa del Pescador
$$-$$$
rue principale

À la Casa del Pescador, on a composé un menu où dominent, bien entendu, les poissons et les fruits de mer. La cuisine est exquise, et l'endroit, donnant sur la plage, tout à fait charmant et propice à de longs repas. N'hésitez pas à essayer le menu du jour.

🦐 Le petit provençal
$$-$$$
entrée ouest de Cabarete

Le petit provençal fait délicieusement changement. Vous serez reçu très gentiment par le patron, d'origine française, qui veille au bon ordre de son établissement. Le chef, qui a la responsabilité de la cuisine, parvient à créer, jour après jour, quelques savoureuses spécialités de la cuisine de France. Rognons sauce moutarde, entrecôte au roquefort et aux cèpes, filet de poisson et langoustines comptent parmi les plats qu'il vous sera peut-être donné de découvrir. On vient avant tout pour les plats, toujours délicieux, mais aussi pour l'ambiance amicale et décontractée car la décoration est plutôt simple, composée essentiellement de chaises de plastique et de tables en bois.

Río San Juan

Sur la rue Duarte et aux abords de la lagune se regroupe une bonne partie des restaurants que compte la ville. On y propose généralement une cuisine simple et bonne. Pour des plats un peu plus sophistiqués, vous devrez opter pour l'un ou l'autre des restaurants des quelques hôtels de la ville.

Casona Rapida Comida
$
rue Duarte, du côté opposé au Brigandina

La Casona Rapida Comida loge dans une jolie maisonnette aux couleurs pastel. On y propose une cuisine rapide, et c'est l'endroit idéal pour essayer les *empanadas* (moins de 1$).

🌴 Bahía Blanca
$$
Calle G.F Deligne
☎ 589-2563

La salle à manger de l'hôtel Bahía Blanca est un endroit idyllique pour prendre un bon repas tout en observant le coucher de soleil sur la terrasse donnant sur l'océan. On trouve au menu des plats locaux ou internationaux de viande, de poisson et de fruits de mer. Le service est professionnel.

Restaurants

Río San Juan
$$$
Calle Duarte
☎*589-2211*
La salle à manger de l'hôtel Río San Juan a bonne réputation dans la région pour sa cuisine locale. On accède grâce à une passerelle à la salle à manger, qui est construite sur pilotis et domine un jardin de plantes. Des spectacles y sont parfois présentés en soirée.

Cabrera

🐚 **La Catalina**
$$-$$$
avant d'arriver à Cabrera
Si vous résidez dans la région ou que vous êtes de passage, faites un saut à la salle à manger de l'auberge La Catalina. Le midi, on y sert de bons repas légers, savoureux et bien présentés, comme des salades. Pendant la soirée, on présente un menu gastronomique d'inspiration française. Le site est enchanteur et offre une belle vue sur l'océan.

Santo Domingo

Sur la rue piétonnière El Conde, vous n'aurez pas de mal à trouver, parmi les restaurants, un endroit pour faire un bon repas le midi. Parmi ceux-ci, **le Bariloche** (*$; Calle El Conde, près de Duarte*) est une bonne adresse. D'ailleurs, l'endroit est bien connu des Dominicains, qui y viennent nombreux pour déjeuner. Ici, la formule est simple et sans façon : on choisit son plat au comptoir, et l'on s'assoit dans la grande salle (avec téléviseur) qui n'a rien de charmant. L'endroit est idéal pour s'offrir un repas copieux (*pollo, arroz* et *habichuela*) et peu cher.

Café de Las Flores
$
Calle El Conde près de Sánchez
Toujours sur la rue piétonnière El Conde, le Café de Las Flores est un établissement sans prétention qui propose principalement des mets dominicains. On y sert également quelques plats italiens ou internationaux. De sa terrasse, on peut observer le brouhaha de la ville en écoutant les derniers tubes de *batchata*.

L'Avocat
$$
Calle El Conde
☎*688-1068*
C'est dans un des quartiers les plus plaisants de la zone coloniale, entre les rues Las Damas et Isabel la Católica, que s'élève le restaurant L'Avocat, où vous pourrez savourer de bons plats de poissons et fruits de mer ainsi que des steaks et des volailles. Un petit conseil : demandez à être servi dans la cour intérieure, située à l'arrière du restaurant, qui

s'avère très calme, mais ne possède que trois tables seulement.

Crêperie
$$
Calle Atarazana, Plaza de España
☎221-4734

Tout juste en face de l'Alcazar de Colomb, à même la Plaza de España, vous pourrez vous asseoir à la Crêperie, dont le menu affiche des sandwichs et des salades, mais aussi, et surtout, d'excellentes crêpes. La terrasse est ombragée et convient tout particulièrement pour une halte le midi. Il est également possible de prendre place dans la petite salle à manger qui se trouve de l'autre côté de la rue Atarazana.

Ristorante La Briciola
$$$
152-A Arzobispo Meriño
☎688-5055

Sans doute le plus beau restaurant et l'une des meilleures tables de Santo Domingo, le Ristorante La Briciola est l'adresse tout indiquée pour les grandes occasions. On s'y rend pour déguster des spécialités italiennes apprêtées avec art que l'on savoure tout en étant attablé dans une élégante salle à manger ou, encore mieux, sous les étoiles, dans une magnifique cour intérieure ceinturée d'arches de brique.

L'aménagement des lieux est un véritable plaisir pour les yeux. Il est préférable de réserver à l'avance les soirs de fin de semaine.

Mesón de la Cava
$$$
Avenida Mirador del Sur
☎533-2818

Certes l'une des adresses les plus connues de Santo Domingo, cet établissement mérite une petite visite, ne serait-ce que pour admirer son aménagement intérieur unique! En effet, comme son nom l'indique, la Mesón de la Cava a été aménagée dans une grande caverne naturelle. L'effet est très réussi. Évidemment, les prix sont élevés, et l'endroit est très fréquenté par des groupes de touristes qui viennent y savourer des spécialités dominicaines et internationales.

Jarabacoa

Don Luis
$-$$
en face du parc Duarte

Le Don Luis est très bien situé au cœur de la ville, près du parc Duarte. C'est un restaurant agréable, mais un peu bruyant. On y propose principalement de la volaille et des steaks apprêtés de diverses manières. Le commerce attenant au Don Luis vend de succulentes glaces.

Sorties

La vie nocturne le long de la côte Atlantique a de quoi séduire ceux et celles ayant le cœur à la fête.

Que l'on cherche à danser sur les airs enlevants des discothèques dominicaines, ou que l'on préfère l'ambiance trépidante des clubs des grands complexes hôteliers, ou encore que l'on ait plutôt envie de prendre un verre tout en profiter d'une atmosphère décontractée ou d'une vue sur la mer, il existe des établissements répondant aux attentes de chacun.

Puerto Plata

Parmi les quartiers les plus agréables où déambuler à la tombée du jour, la belle promenade du **Malecón**, qui longe l'océan sur plusieurs kilomètres, fait partie des quartiers les plus agréables où déambuler à la tombée du jour. L'endroit est alors fréquenté par les familles et les couples dominicains, qui viennent s'y balader tranquillement, conférant une douce animation à ce secteur de la ville. Une foule d'étals envahissent les trottoirs, et l'on peut s'y procurer des victuailles.

Playa Dorada

Très active et diversifiée, la vie nocturne à Playa Dorada s'anime dans les grands hôtels, qui renferment tous des bars et souvent une discothèque ainsi qu'un casino. On y organise également d'intéressants spectacles mettant en vedette des troupes et des artistes locaux. Comme les horaires et les types de spectacles varient fréquemment, nous vous suggérons de vous informer sur place.

Si malgré l'animation des grands complexes hôteliers, vous trouvez les soirées un peu longues, vous pouvez vous rendre au **cinéma de la Plaza Dorada**, où chaque soir, on présente des films en anglais.

Sosúa

À Sosúa, vous avez le choix entre d'innombrables cafés et bars dont celui du **Waterfront** *(de l'hôtel du même nom)*, plutôt joli et sympathique, où l'on peut souvent écouter du jazz tout en dégustant des boissons locales ou importées.

Sur la bruyante et très achalandée rue Pedro Clisante, le **Tall Tree** est agréable. Aménagé à l'étage d'une maisonnette et s'ouvrant sur la rue, il est parfait pour siroter un verre et observer le va-et-vient de la rue.

La plupart des restaurants de Sosúa deviennent des bars-terrasses en fin de soirée dont l'un des plus animés est toujours le **PJ'S** *(Calle Pedro Clisante)*.

Si vous désirez danser, la plupart des discothèques se trouvent au cœur de Sosúa, sur les rues Pedro Clisante et Dr. Rosen.

Cabarete

Avant d'aller dîner, vous pourrez profiter des derniers rayons de soleil en allant prendre un apéritif à l'un des nombreux restaurants donnant sur la plage.

Il est cependant un endroit où se rendre, en fin d'après-midi jusqu'à tard en soirée, pour savourer des cocktails en tout genre : l'**Onno's Bar**, qui donne directement sur la plage. Une petite maisonnette abrite également quelques tables et un long comptoir. Certains soirs, des musiciens viennent s'y produire en spectacle.

Río San Juan

La petite **discothèque Gri Gri**, sur la rue Sánchez, tout près de la lagune, est généralement ouverte les soirs de fin de semaine. L'ambiance varie beaucoup d'une soirée à l'autre.

La fabrication du rhum

La canne à sucre est cultivée en République dominicaine depuis des siècles, et sa culture a longtemps obligé les hommes et les femmes à faire de rudes travaux, particulièrement au moment de sa récolte. Ce sont les hommes qui coupaient chaque pied à ras de sol, enlevaient les feuilles (fourrages) et divisaient chaque canne en morceaux d'environ 1 m. Les femmes suivaient derrière et attachaient 10 ou 12 tiges en bottes. Ce travail qui nécessitait une main-d'œuvre importante se faisait en plein soleil, des heures durant, sans possibilité de s'abriter des chauds rayons. Aujourd'hui, des instruments plus modernes facilitent la récolte, mais cette tâche demeure ardue. Une fois assemblées, les bottes sont apportées à l'usine afin d'en extraire le jus de canne. Une première pression procure une bonne quantité de jus (le vesou). Pour récupérer le liquide emprisonné, la tige est mouillée avec de l'eau et une seconde pression est effectuée. Les fibres restantes de la canne (la bagasse) servent de combustible pour alimenter le moulin. Le jus sucré ainsi recueilli permet de préparer différents produits, notamment le sucre, qui en est une composante, et le rhum.

Pour obtenir du rhum, le jus sucré (mélasse) est fermenté jusqu'à obtenir un alcool à 95% et à 38°, qui est dilué avec de l'eau distillée dans des tonneaux de cuivre. Puis l'alcool est tranvasé dans d'autres tonneaux de cuivre et est parfois mélangé avec des amandes ou du caramel pour lui donner sa saveur et sa couleur caractéristiques. Le tout est encore transvasé, mais cette fois-ci dans des tonneaux de bois, où on le fait vieillir de une à 25 années. Le rhum est ensuite filtré et goûté, puis on le laisse reposer 15 jours dans des tonneaux de cuivre pour s'assurer qu'il n'y aura aucun dépôt. Finalement, le rhum est embouteillé, devenant le compagnon privilégié des joies et des peines de la population dominicaine.

Un peu plus touristique, la **Méga Disco** plaira à merveille aux âmes ayant le cœur à la fête et l'envie d'écouter de la musique trépidante et de danser.

Pour une atmosphère un peu plus calme, rendez-vous au **piano-bar de l'hôtel Río San Juan**, où l'on présente régulièrement des spectacles en soirée.

Achats

L es boutiques de Puerto Plata, de Sosúa et de Cabarete regorgent de marchandises de toutes sortes, notamment des vêtements de coton et des pièces d'artisanat local, dont des sculptures de bois, des boîtes en acajou et des toiles d'art naïf.

De beaux bijoux d'ambre, de larimar et de coquillage y sont également vendus. Enfin, le rhum, délicieux et peu cher, ainsi que les cigares et le café comptent sans conteste parmi les achats les plus judicieux.

Les heures d'ouverture

Les magasins sont pour la plupart ouverts de 9 h à 17 h. Bien rares sont ceux qui ferment sur l'heure du midi, surtout dans les centres touristiques.

Les *mercados*

On peut acheter de tout dans ces petits commerces d'alimentation : des produits alimentaires, des produits de beauté, de l'alcool et des cigarettes. Les cartes de crédit sont acceptées dans les *mercados*.

Vins, bières et alcool

Dans tous les petits commerces d'alimentation (les *mercados*), on vend de

l'alcool et, plus particulièrement, du rhum et de la
bière.

Puerto Plata

En plus des boutiques des
grands hôtels, une foule de
commerces du centre-ville
proposent des souvenirs,
des bijoux et des vête-
ments. Près du Parque Central, les artères commerciales les plus importantes
sont les rues J.F. Kennedy
et 12 de Julio.

Une des meilleures bouti-
ques pour s'offrir de
l'artisanat local, des bijoux
de coquillage ou de «larimar» et des petits objets
d'ambre est sans contredit
celle du **Musée de l'ambre** *(à
l'angle des rues Prudhomme et
Duarte)*.

Playa Dorada

La **Plaza Dorada** compte une
foule de petites boutiques
proposant rhum, cigares,
disques compacts, bijoux et
vêtements de plage. Les
produits sont généralement
de bonne qualité, mais les
prix sont un tantinet plus
élevés qu'ailleurs au pays.

Il y a également de petits
commerces au sein même
des hôtels.

Sosúa

Il y a à Sosúa une foule de
boutiques, autant dans le
centre-ville, principalement
sur les rues Pedro Clisante
et Alejo Martínez, que sur la
plage. On y trouve des
souvenirs, des vêtements,
quantité de toiles de peintres locaux ou haïtiens, des
sculptures, etc. Il est possible de négocier les prix
dans plusieurs de ces boutiques.

Le village compte plusieurs
petites boutiques proposant
des bijoux en argent, en
coquillage, en ambre et en
«larimar». Si votre porte-
monnaie vous le permet,
vous en trouverez de fort
élégants à la **Bijouterie Harrison's** *(angle Clisante et Dr.
Rosen)*, principalement en
or, à des prix plus élevés.

Pour faire provision de
bons cigares dominicains,
de toutes tailles, aux arô-
mes envoûtants, faites un
saut au **Sosúa Cigar Discount**
*(face à l'hôtel Sosúa-by-the-
Sea)*.

Sur la rue Pedro Clisante, le
Familly Jewel Shop est un bon
endroit pour acheter des
bijoux et des pièces
d'ambre.

Cabarete

Atlantis (☎ *571-2286*) est l'une des belles boutiques de la ville si vous désirez vous procurer de belles pièces d'artisanat ou de jolis bijoux.

Une **bijouterie Harrison's** a également ouvert ses portes à Cabarete, étalant quelques-unes de ces belles créations d'or et de pierres précieuses. On peut également s'y procurer de magnifiques bijoux en ambre ou en «larimar».

Outre un centre de planches à voile, le **Carib Bic Center** possède une petite boutique où vous pourrez dénicher de beaux vêtements de sport et de l'équipement pour la planche à voile.

Tabac et cigares dominicains

La République dominicaine a-t-elle supplanté Cuba comme principal producteur de cigares de qualité dans le monde? Pas encore, certes, mais les Dominicains sont en pleine progression. Les connaisseurs le savent et, désormais, il se produit en République dominicaine de très grandes marques de cigares, dont les plus connues sont les Davidoff, Juan Clemente et Arturo Fuente.

Le cigare comme nous le connaissons aujourd'hui est une invention européenne. C'est à Séville que l'on conçoit, en 1676, les premiers cigares, dont l'enveloppe extérieure, tout comme l'intérieur, est faite entièrement de feuilles de tabac. Au cours des siècles suivants, de nombreuses fabriques de cigares voient le jour en Europe. À partir de la fin du siècle dernier, certains producteurs commencent à s'installer à Cuba puis en République dominicaine. C'est ainsi, par exemple, que les Davidoff, probablement la marque de cigares la plus connue au monde, sont fabriqués exclusivement en République dominicaine depuis une dizaine d'années.

LEXIQUE

Quelques indications sur la prononciation de l'espagnol en Amérique latine.

CONSONNES

c Tout comme en français, le *c* est doux devant *i* et *e*, et se prononce alors comme un **s** : *cerro* (serro). Devant les autres voyelles, il est dur : *carro* (karro). Le **c** est également dur devant les consonnes, sauf devant le **h** (voir plus bas).

g De même que pour le **c**, devant **i** et **e** le **g** est doux, c'est-à-dire qu'il est comme un souffle d'air qui vient du fond de la gorge : *gente* (hhente).

Devant les autres voyelles, il est dur : *golf* (se prononce comme en français). Le **g** est également dur devant les consonnes.

ch Se prononce **tch**, comme dans «Tchad» : *leche* (letche). Tout comme pour le *ll*, c'est comme s'il s'agissait d'une autre lettre, listée à part dans les dictionnaires et dans l'annuaire du téléphone.

h Ne se prononce pas : *hora* (ora).

j Se prononce comme le **r** de «crabe», un **r** du fond de la gorge, sans excès : *jugo* (rrugo).

ll Se prononce comme **y** dans «yen» : *llamar* (yamar). Dans certaines régions, par exemple le centre de la Colombie, **ll** se prononce comme **j** de «jujube» (*Medellín* se prononce Medejin). Tout comme pour le *ch*, c'est comme s'il s'agissait d'une autre lettre, listée à part dans les dictionnaires et dans l'annuaire du téléphone.

ñ Se prononce comme le **gn** de «beigne» : *señora* (segnora).

r Plus roulé et moins guttural qu'en français, comme en italien.

s Toujours **s** comme dans «singe» : *casa* (cassa).

v Se prononce comme un **b** : *vino* (bino).

z Comme un **z** : *paz* (pass).

VOYELLES

e   Toujours comme un **é** : *helado* (élado) sauf lorsqu'il précède deux consonnes, alors il se prononce comme un **è** : *encontrar* (èncontrar)

u   Toujours comme **ou** : *cuenta* (couenta)

y   Comme un **i** : *y* (i)

Toutes les autres lettres se prononcent comme en français.

ACCENT TONIQUE

En espagnol, chaque mot comporte une syllabe plus accentuée. Cet accent tonique est très important en espagnol et s'avère souvent nécessaire pour sa compréhension par vos interlocuteurs. Si, dans un mot, une voyelle porte un accent aigu (le seul utilisé en espagnol), c'est cette syllabe qui doit être accentuée. S'il n'y a pas d'accent sur le mot, il faut suivre la simple règle suivante :

On doit accentuer l'avant-dernière syllabe de tout mot qui se termine par une voyelle : *amigo*.

On doit accentuer la dernière syllabe de tout mot qui se termine par une consonne sauf *s* (pluriel des noms et adjectifs) ou *n* (pluriel des verbes) : *usted* (mais *amigos*, *hablan*).

PRÉSENTATIONS

au revoir	*adiós, hasta luego*	je suis québécois(e)	*Soy quebequense*
bon après-midi ou bonsoir	*buenas tardes*	je suis suisse	*Soy suizo*
bonjour (forme familière)	*hola*	je suis un(e) touriste	*Soy turista*
bonjour (le matin)	*buenos días*	je vais bien	*estoy bien*
bonne nuit	*buenas noches*	marié(e)	*casado/a*
célibataire (m/f)	*soltero/a*	merci	*gracias*
comment allez-vous?	*¿cómo esta usted?*	mère	*madre*
copain/copine	*amigo/a*	mon nom de famille est...	*mi apellido es...*
de rien	*de nada*	mon prénom est...	*mi nombre es...*
divorcé(e)	*divorciado /a*	non	*no*
enfant (garçon/fille)	*niño/a*	oui	*sí*
époux, épouse	*esposo/a*	parlez-vous français?	*¿habla usted francés?*
excusez-moi	*perdone/a*	père	*padre*
frère, sœur	*hermano/a*	plus lentement s'il vous plaît	*más despacio, por favor*
je suis belge	*Soy belga*	quel est votre nom?	*¿cómo se llama usted?*

je suis canadien(ne)	*Soy canadiense*	s'il vous plaît	*por favor*
je suis désolé, je ne parle pas espagnol	*Lo siento, no hablo español*	veuf(ve)	*viudo/a*
je suis français(e)	*Soy francés/a*		

DIRECTION

à côté de	*al lado de*	il n'y a pas...	*no hay...*
à droite	*a la derecha*	là-bas	*allí*
à gauche	*a la izquierda*	loin de	*lejos de*
dans, dedans	*dentro*	où se trouve ... ?	*¿dónde está ... ?*
derrière	*detrás*	pour se rendre à...?	*¿para ir a...?*
devant	*delante*	près de	*cerca de*
en dehors	*fuera*	tout droit	*todo recto*
entre	*entre*	y a-t-il un bureau de tourisme ici?	*¿hay aquí una oficina de turismo?*
ici	*aquí*		

L'ARGENT

argent	*dinero/plata*	je n'ai pas d'argent	*no tengo dinero*
carte de crédit	*tarjeta de crédito*	l'addition, s'il vous plaît	*la cuenta, por favor*
change	*cambio*	reçu	*recibo*
chèque de voyage	*cheque de viaje*		

LES ACHATS

acheter	*comprar*	le chapeau	*el sombrero*
appareil photo	*cámara*	le client, la cliente	*el/la cliente*
argent	*plata*	le jean	*los tejanos/los vaqueros/los jeans*
artisanat typique	*artesanía típica*	le marché	*mercado*
bijoux	*joyeros*	le pantalon	*los pantalones*
cadeaux	*regalos*	le t-shirt	*la camiseta*
combien cela coûte-t-il?	*¿cuánto es?*	le vendeur, la vendeuse	*dependiente*
cosmétiques et parfums	*cosméticos y perfumes*	le vendeur, la vendeuse	*vendedor/a*
disques, cassettes	*discos, casetas*	les chaussures	*los zapatos*
en/de coton	*de algodón*	les lunettes	*las gafas*
en/de cuir	*de cuero/piel*	les sandales	*las sandalias*
en/de laine	*de lana*	montre-bracelet	*el reloj(es)*
en/de toile	*de tela*	or	*oro*
fermé	*cerrado/a*	ouvert	*abierto/a*
film, pellicule photographique	*rollo/film*	pierres précieuses	*piedras preciosas*
j'ai besoin de ...	*necesito ...*	piles	*pilas*
je voudrais	*quisiera...*	produits solaires	*productos solares*
je voulais	*quería...*	revues	*revistas*

journaux	periódicos/diarios	un grand magasin	almacén
la blouse	la blusa	un magasin	una tienda
la chemise	la camisa	un sac à main	una bolsa de mano
la jupe	la falda/la pollera	vendre	vender
la veste	la chaqueta		

DIVERS

beau	hermoso	large	ancho
beaucoup	mucho	lentement	despacio
bon	bueno	mauvais	malo
bon marché	barato	mince, maigre	delgado
chaud	caliente	moins	menos
cher	caro	ne pas toucher	no tocar
clair	claro	nouveau	nuevo
court	corto	où?	¿dónde?
court (pour une personne petite)	bajo	grand	grande
étroit	estrecho	petit	pequeño
foncé	oscuro	peu	poco
froid	frío	plus	más
gros	gordo	qu'est-ce que c'est?	¿qué es esto?
j'ai faim	tengo hambre	quand	¿cuando?
j'ai soif	tengo sed	quelque chose	algo
je suis malade	estoy enfermo/a	rapidement	rápidamente
joli	bonito	requin	tiburón
laid	feo	rien	nada
		vieux	viejo

LA TEMPÉRATURE

il fait chaud	hace calor	pluie	lluvia
il fait froid	hace frío	soleil	sol
nuages	nubes		

LE TEMPS

année	año	mardi	martes
après-midi, soir	tarde	mercredi	miércoles
aujourd'hui	hoy	jeudi	jueves
demain	mañana	vendredi	viernes
heure	hora	samedi	sábado
hier	ayer	janvier	enero
jamais	jamás, nunca	février	febrero
jour	día	mars	marzo
maintenant	ahora	avril	abril
minute	minuto	mai	mayo
mois	mes	juin	junio
nuit	noche	juillet	julio
pendant le matin	por la mañana	août	agosto
quelle heure est-il?	¿qué hora es?	septembre	septiembre

semaine	*semana*	octobre	*octubre*
dimanche	*domingo*	novembre	*noviembre*
lundi	*lunes*	décembre	*diciembre*

LES COMMUNICATIONS

appel à frais virés (PCV)	*llamada por cobrar*	le bureau de poste	*la oficina de correos*
attendre la tonalité	*esperar la señal*	les timbres	*estampillas/sellos*
composer le préfixe	*marcar el prefijo*	tarif	*tarifa*
courrier par avion	*correo aéreo*	télécopie (fax)	*telecopia*
enveloppe	*sobre*	télégramme	*telegrama*
interurbain	*larga distancia*	un annuaire de téléphone	*un botín de teléfonos*
la poste et l'office des télégrammes	*correos y telégrafos*		

LES ACTIVITÉS

musée ou galerie	*museo*	plongée sous-marine	*buceo*
nager	*nadar*	se promener	*pasear*
plage	*playa*		

LES TRANSPORTS

à l'heure prévue	*a la hora*	l'autobus	*el bus*
aéroport	*aeropuerto*	l'avion	*el avión*
aller simple	*ida*	la bicyclette	*la bicicleta*
aller-retour	*ida y vuelta*	la voiture	*el coche, el carro*
annulé	*annular*	le bateau	*el barco*
arrivée	*llegada*	le train	*el tren*
avenue	*avenida*	nord	*norte*
bagages	*equipajes*	ouest	*oeste*
coin	*esquina*	passage de chemin de fer	*crucero ferrocarril*
départ	*salida*	rapide	*rápido*
est	*este*	retour	*regreso*
gare, station	*estación*	rue	*calle*
horaire	*horario*	sud	*sur*
l'arrêt d'autobus	*una parada de autobús*	sûr, sans danger	*seguro/a*
l'arrêt s'il vous plaît	*la parada, por favor*	taxi collectif	*taxi colectivo*

LA VOITURE

à louer	*alquilar*	feu de circulation	*semáforo*
arrêt	*alto*	interdit de passer, route fermée	*no hay paso*
arrêtez	*pare*	limite de vitesse	*velocidad permitida*
attention, prenez garde	*cuidado*	piétons	*peatones*
autoroute	*autopista*	ralentissez	*reduzca velocidad*

défense de dou-	no adelantar	station-service	servicentro
bler			
défense de station-	prohibido apar-	stationnement	parqueo, estacio-
ner	car o estacionar		namiento
essence	petróleo, gasoli-		
	na		

L'HÉBERGEMENT

air conditionné	aire acondiciona-	haute saison	temporada alta
	do		
ascenseur	ascensor	hébergement	alojamiento
avec salle de bain	con baño priva-	lit	cama
privée	do		
basse saison	temporada baja	petit déjeuner	desayuno
chalet (de plage),	cabaña	piscine	piscina
bungalow			
chambre	habitación	rez-de-chaussée	planta baja
double, pour deux	doble	simple, pour une	sencillo
personnes		personne	
eau chaude	agua caliente	toilettes, cabinets	baños
étage	piso	ventilateur	ventilador
gérant, patron	gerente, jefe		

LES NOMBRES

0	cero	23	veintitrés
1	uno ou una	24	veinticuatro
2	dos	25	veinticinco
3	tres	26	veintiséis
4	cuatro	27	veintisiete
5	cinco	28	veintiocho
6	seis	29	veintinueve
7	siete	30	treinta
8	ocho	31	treinta y uno
9	nueve	32	treinta y dos
10	diez	40	cuarenta
11	once	50	cincuenta
12	doce	60	sesenta
13	trece	70	setenta
14	catorce	80	ochenta
15	quince	90	noventa
16	dieciséis	10	cien/ciento
17	diecisiete	200	doscientos, dos-
			cientas
18	dieciocho	500	quinientos, qui-
			nientas
19	diecinueve	1 000	mil
20	veinte	10 000	diez mil
21	veintiuno	1 000 000	un millón
22	veintidos		

Index

Index

Index

Notes de voyage